LA VIE COMPLIQUÉE DE *Léa Olivier*

6. TORNADES

CATHERINE GIRARD-AUDET

Québec ✦✦

Crédit d'impôt
livres   Gestion
                SODEC

Gouvernement du Québec – Programme de crédit d'impôt
pour l'édition de livres – Gestion Sodec

Nous reconnaissons l'aide financière du gouvernement du Canada par l'entremise du
Fonds du livre du Canada pour nos activités d'édition.

La vie compliquée de Léa Olivier, 6. Tornades
© Les éditions les Malins inc., Catherine Girard-Audet
info@lesmalins.ca

Directrice littéraire : Ingrid Remazeilles
Éditeur : Marc-André Audet
Illustration et conception de la couverture : Veronic Ly
Photographie de Catherine : Karine Patry
Mise en page : Marjolaine Pageau et Chantal Morisset

Dépôt légal – Bibliothèque et Archives nationales du Québec, 2014
Dépôt légal – Bibliothèque et Archives Canada, 2014

ISBN : 978-2-89657-259-5

Imprimé au Canada

Les éditions les Malins inc.
1445-A rue Wolfe
Montréal (Québec)
H2L 3J5

LA VIE COMPLIQUÉE
DE *Léa Olivier*

6.TORNADES

CATHERINE GIRARD-AUDET

À ma mère, celle qui m'a transmis sa passion
pour la lecture et l'écriture et grâce à qui
je suis devenue une véritable *geek* du français,
la femme dont j'admire la force, le franc-parler
et l'authenticité! Merci d'être une artiste au fond
de ton cœur, d'avoir cru en moi et de m'avoir
encouragée à me laisser guider par mes passions.

Chapitre 1 :
Nouvelle BFF

À : Marilou33@mail.com
De : Léa_jaime@mail.com
Date : Jeudi 18 décembre, 19 h 21
Objet : Coussinus, tu ne m'auras pas deux fois !

Salut, meilleure-amie-qui-doit-se-demander-si-sa-*best*-ne-s'est-pas-fait-engloutir-par-Youpi !-puisqu'elle-ne-lui-donne-pratiquement-plus-de-nouvelles-depuis-que-son-*rush*-d'examens-a-commencé !

Laisse-moi te rassurer : tout va bien. Aujourd'hui, j'ai survécu à mon examen d'anglais pour lequel j'ai étudié toute la semaine avec Jeanne. Je devais non seulement apprendre plein de trucs par cœur, mais il fallait aussi que je sois capable d'écrire une composition de 250 mots à propos de quelque chose. J'avais donc préparé plein de textes différents en espérant que le prof choisisse un de ces thèmes, mais tu connais ma chance : ce n'est pas arrivé. Le thème de la composition était « les vacances de Noël ». Heureusement pour moi, Cuba s'écrit de la même façon en anglais, alors je suis au moins certaine de ne pas avoir de faute dans ce mot !

Sans blague, je crois que j'ai réussi à m'en sortir pas si mal. Ce qui me stresse à présent, c'est mon examen de demain. Le dernier de l'année, mais non le moindre : mathématiques. Je me suis fait une petite liste des équations à retenir, et surtout, des mots à ne pas confondre. Bref, coussinus, tu ne m'auras pas deux fois! Et sinusite non plus! Lol! Comme c'est l'examen cumulatif de la matière apprise à l'automne et pour laquelle j'ai étudié comme une folle pour t'accompagner au concert de One Direction, je me sens vraiment prête. En plus, j'ai bien révisé dans un café avec Alex dimanche dernier pour être certaine que je comprenais tous les chapitres, et il m'a confirmé que je devrais m'en sortir vivante!

Alex (en refermant son manuel de maths): Ouin, t'es pas mal rendue *nerd*, mademoiselle Olivier.
Moi (en haussant les épaules): C'est mon nouveau statut de célibataire endurcie qui me rend comme ça. Comme je n'ai plus de temps ni d'énergie à perdre sur des morons, je peux me concentrer entièrement sur mes études.
Alex: Ce sont tes parents qui doivent être fiers!
Moi: Parle-m'en pas! Un peu plus et ils accrochaient ma photo dans la cuisine pour célébrer mon titre de « *nerd* du mois »!
Alex: Et est-ce qu'Olivier t'achale encore?
Moi: *Nope.* C'est le silence radio depuis quelques semaines. J'évite son regard quand je le croise, Olivier semble fuir Maude comme la peste, et Maude me dévisage dès qu'elle en a la chance. C'est une belle chaîne de l'amitié, tout ça!
Alex: Ouin, j'ai remarqué que c'était un peu tendu dans les cours...

Moi : « Un peu » ? Le mot est faible ! Mais je m'en fiche ! Dans une semaine, je décampe à Cuba et je prends une pause officielle de gars et de nunuches !

Alex (en faisant la moue) : En tout cas, nous, on va s'ennuyer de toi !

Moi : Oh, je suis certaine que vous allez survivre ! D'ailleurs, c'est quoi tes plans pour Noël et le Nouvel An ?

Alex : Rien de *full* palpitant. Le 24 chez ma mère, le 25 chez mon père, et le 31 avec Alexis et les gars du hockey.

Moi : C'est vrai, tu as deux Noëls... On dirait que j'oublie tout le temps que tes parents sont séparés.

Alex : C'est peut-être parce que je ne suis jamais clair dans mes explications. Ils sont divorcés depuis que j'ai trois ans, et les deux se sont remariés peu de temps après. Bref, quand je dis que je suis avec « mes parents », c'est parce que j'en ai deux paires plutôt qu'une !

Moi : Wow. Et comment ça se passe ?

Alex : Bien. Je passe la semaine chez ma mère, et la fin de semaine chez mon père. Et j'ai la chance d'avoir deux parents qui se sont quittés sans faire de dégâts ! Ils sont même restés amis après leur séparation.

Moi : C'est cool, ça ! Très moderne comme situation ! Et tes beaux-parents ? Tu t'entends bien avec eux ?

Alex : Oui. La blonde de mon père a toujours été hyper respectueuse et n'a jamais trop voulu se mêler de mes affaires, mais le chum de ma mère ne s'est jamais empêché de faire de la discipline ! Je dois avouer qu'il avait raison de le faire ! Je n'étais pas évident quand j'étais petit !

Moi : Parce qu'aujourd'hui, tu penses que t'es « évident » ?

Alex (en faisant une grimace) : Gnan-gnan !

Moi : Et ça ne te choquait pas qu'il te dise quoi faire ?

Alex : Au début, un peu, mais je me suis habitué. Et comme je te disais, quand ça n'allait pas du tout, mes parents organisaient une réunion au sommet pour me sermonner. Ils se mettaient alors à quatre pour me rendre la vie impossible !

Moi : Ish ! Pauvre toi ! Donc, si je comprends bien, ta sœur et ton frère...

Alex : Sont issus de leurs deuxièmes mariages respectifs, oui.

Moi (l'air songeur) : Hum...

Alex : Quoi ? À quoi tu penses ?

Moi : J'essaie d'imaginer comment ce serait si mes parents se séparaient et refaisaient leurs vies, mais je n'y arrive pas, parce que je les ai toujours vus ensemble. Et je me disais aussi qu'il y a encore certaines choses que je ne connaissais pas sur toi. Et ça m'étonne, après un an d'amitié !

Alex : C'est parce qu'avant, j'étais trop occupé à flirter avec toi pour te raconter ma vie.

J'ai éclaté de rire.

Moi : Je vois... et maintenant que je suis devenue *nerd* et plate, ton envie de me *cruiser* a disparu ?!

Alex (en m'envoyant un sourire charmeur) : Je savais que ça te manquait que je t'achale !

Il est venu s'asseoir sur la banquette à côté de moi et il a passé un bras derrière mon épaule. J'ai fermé les yeux une microseconde pour m'imprégner discrètement de son odeur (je sais que c'est bizarre, mais je la trouve toujours aussi irrésistible).

Lui (en me souriant) : Tu te sens mieux ?
Moi : Oui.

On est restés silencieux pendant quelques instants. J'ai jeté un regard par la fenêtre et j'ai vu de gros flocons tomber à l'extérieur. C'est bizarre, mais je me suis dit que je me souviendrais toujours de ce moment. Pour une raison étrange, je me sens toujours bien quand je suis avec Alex. C'est sûrement pour cette raison que j'ai eu envie de me sentir proche de lui pendant quelques secondes avant de replonger dans mon rôle d'amie platonique. Quand j'ai finalement tourné la tête vers lui, j'ai senti qu'il était un peu dans le même état que moi et qu'il souriait en regardant au loin.

Moi : On est bien, hein ?

J'ai dit ça sans trop réfléchir. Alex m'a regardée d'un drôle d'air, mais la sonnerie de mon cellulaire est venue nous interrompre. C'était Félix qui m'annonçait qu'il m'attendrait dans la voiture devant le café dans moins de cinq minutes. J'ai donc rangé mes cahiers de notes et j'ai remercié Alex pour son aide.

Alex : De rien. Quand tu veux.

Il m'a envoyé un clin d'œil.

Moi (en attachant les boutons de mon manteau) : Et moi, je suis toujours dispo quand tu ressens le besoin de parler de ta vie. Je suis là pour ça.

Je lui ai retourné son clin d'œil en m'efforçant d'avoir l'air aussi charmeuse que lui, mais à voir sa tête, j'ai vite compris que c'était raté.

Alex (en riant) : Pourquoi me fais-tu une grimace ?
Moi (en soupirant) : Disons que mon charme naturel n'est pas aussi aiguisé que le tien !

Je lui ai donné un bisou sur la joue et je suis sortie rejoindre Félix avant qu'il ne se mette à klaxonner.

Cet après-midi d'études représente pas mal le clou de ma semaine ! Et toi ? Comment se passent les exams ? Arrives-tu à étudier entre les cris de ton petit frère et les baisers de ton chum ? Est-ce que JP est encore jaloux de Harry, ou est-ce qu'il a fait la paix avec le fait que tu devais partager ton cœur entre lui et le plus beau chanteur au monde ?

Donne-moi des nouvelles !
Léa xox

À : Léa_jaime@mail.com
De : Marilou33@mail.com
Date : Vendredi 19 décembre, 17 h 22
Objet : Je suis tellement JALOUSE !

Salut !
Bon, j'y ai beaucoup réfléchi, et j'ai décidé que je te pardonnais de m'avoir ignorée depuis que je suis rentrée de Montréal, mais que je t'en veux toujours de m'abandonner durant tout le temps des fêtes et de me laisser sécher toute seule au froid pendant que tu te fais bronzer à Cuba ! Je suis jalouse, bon !

Mais comme les choses vont toujours aussi bien entre JP et moi (il a finalement compris que mon amour inconditionnel pour Harry ne changeait rien à ce que je ressentais pour lui !) et qu'il m'a même invitée à souper chez lui avec toute sa famille le 25 décembre, je me console un peu. Oui, tu as bien lu : je vais passer la soirée de Noël chez lui ! Au début, j'avais peur que mes parents me disent non, surtout qu'on est censés aller chez ma grand-mère ce soir-là, mais à ma grande surprise, ils m'ont donné la permission sans rouspéter. Je ne sais pas trop ce qui leur arrive ces temps-ci, mais ils ont l'air un peu distraits. Disons que je ne m'en plaindrai pas étant donné que ça me permet de me sauver d'un souper plate et de passer plus de temps avec mon chum! Comme la soirée risque de se terminer tard, la mère de JP m'a offert de rester dormir chez eux (dans la chambre d'amis, évidemment), mais mes parents m'ont dit qu'ils viendraient me chercher. Je crois qu'il y a des limites à leur nonchalance temporaire! Quand Zak a su que je désertais le nid familial pour la soirée de Noël, il m'a regardée d'un air piteux. Même si son chantage émotif ne m'a pas convaincue de rester, j'avoue que j'ai eu un peu pitié de lui, alors j'ai décidé de lui acheter une grosse boîte de Lego que je lui offrirai la soirée du réveillon. C'est une façon de me racheter et de me sentir moins ingrate.

Sinon, j'avoue que je jubile, car depuis exactement 14 h 32 aujourd'hui, je suis en vacances!! J'avais un examen de français ce matin (ultra facile), et cet après-midi, notre prof d'espagnol a été assez gentil pour nous laisser partir plus tôt! Il faut dire que tout le monde était énervé, et qu'il avait de plus en plus de difficulté à maîtriser sa classe.

Tu sais ce que je me suis dit en sortant du cours? Que je devrais me glisser dans ta valise pour t'accompagner à Cuba! Avec mes deux-trois notions d'espagnol, je pourrais t'aider à te défendre contre les nunuches latines ou à *cruiser* les beaux étrangers lors du party du jour de l'An ! ;)

Mais comme je sais que c'est impossible, je vais rester dans mon trou et me contenter d'assister à la fête de Laurie. Sans blague, ça ne s'annonce pas si mal comme soirée ! Comme ses parents font une fête chez elle, ils lui ont donné la permission d'inviter tous nos amis au sous-sol ! Yé ! Et comme mes parents étaient doublement rassurés, puisqu'il y aura de la surveillance parentale et que c'est chez Laurie, ils m'ont dit que je pouvais dormir chez elle ce soir-là ! Ce qui veut dire que Steph, Laurie et moi pourrons potiner et faire des analyses de la soirée jusqu'aux petites heures du matin !

Je te laisse, car j'ai mon dernier entraînement de natation d'ici janvier dans une heure, mais je t'embrasse très fort, et j'exige que tu m'écrives tous les jours de Cuba pour m'informer de comment ça se passe dans ton coin de paradis !

Lou xox

P.-S. Profites-en aussi pour jouir de ton célibat ! C'est bien beau avoir le réconfort d'Alex, mais je crois que tu es capable de survivre seule sans gars pendant quelques semaines ! Vive la Léa féministe qui dort en toi ! ☺

Vendredi 19 décembre

20 h 47

Jeanne (en ligne): Salut! As-tu fini de faire ta valise?

20 h 48

Léa (en ligne): Salut! En fait, je venais de la fermer quand ma mère a insisté pour inspecter le contenu et m'a ordonné de laisser la moitié de mes vêtements ici! Elle prétend que je n'ai pas besoin de quatre paires de jeans, cinq jupes, huit robes et vingt tops alors qu'on ne part que quatorze jours!

20 h 49

Jeanne (en ligne): Lol! C'est vrai que c'est peut-être (légèrement) exagéré!

Léa (en ligne): Je sais... Mais le problème, c'est que j'ai peur d'arriver là-bas et de regretter l'article que j'aurais laissé à la maison! C'est pour ça que j'avais d'abord décidé d'apporter pratiquement tout le contenu de ma garde-robe, mais ma mère me force maintenant à faire des choix difficiles. C'est déchirant, mais ça fait du bien de penser à autre chose qu'à des verbes irréguliers d'anglais ou à des formules mathématiques! ON EST EN VACANCES! YOUP!!!!!!

Jeanne (en ligne): Je sais! Je suis tellement contente! Et soulagée! En plus, on peut célébrer le fait que l'exam ne s'est pas trop mal passé!

Léa (en ligne): Oui! Enfin un examen de maths que je n'ai pas peur de couler! ;) Au fait, de quoi parlais-tu avec Alex après le test? Ça avait l'air intense.

Jeanne (en ligne): Il voulait juste prendre de mes nouvelles. On se voit tous les jours, mais c'est encore un peu bizarre depuis qu'on a cassé, et il avait l'impression qu'on ne passait plus de temps de qualité ensemble.

20 h 52

Léa (en ligne): Et tu en penses quoi?

20 h 52

Jeanne (en ligne): Il n'a pas tort; c'est vrai qu'on évite de discuter de choses plus sérieuses depuis la rupture, mais je me sens prête à retrouver notre amitié, et lui aussi! Alors on s'est dit qu'on passerait du temps ensemble pendant les vacances. Comme tu nous abandonnes, on se sentira moins seuls... ;)

20 h 53

Léa (en ligne): Mes pauvres petits! Je me sens presque mal! Sans blague, je suis contente que vous soyez motivés à retrouver votre vieille complicité. Les trois mousquetaires me manquent.

Jeanne (en ligne): Ouin. J'avoue que depuis l'Halloween, tu es comme une d'Artagnan en garde partagée!

20 h 53

Léa (en ligne): Et avant que vous cassiez, j'étais une d'Artagnan qui servait de troisième roue de bicyclette! Alors je suis très soulagée de retrouver mon vieux statut! ☺ Et as-tu des nouvelles de Katherine? Je l'ai cherchée après l'exam pour lui souhaiter de bonnes vacances, mais elle avait déjà disparu!

20 h 54

Jeanne (en ligne): Comme Sophie et Marianne nous ont invitées à une soirée pyjama ce soir avec Maude et Lydia, elle s'est sauvée avant de devoir les affronter parce qu'elle n'avait pas envie d'y aller! Moi, comme je pars demain matin à 7 heures, j'avais une bonne excuse!

20 h 55

Léa (en ligne): C'est vrai, tu vas skier en famille!

20 h 55

Jeanne (en ligne): Yep! Pas aussi exotique que Varadero, mais je prends ce qui passe! ;)

20 h 55

Léa (en ligne): Bon, je dois filer avant que mes parents fassent une syncope parce que je n'ai pas fini ma valise! Mais écris-moi dès que tu peux pour me donner les potins montréalais! Félix et moi, on traîne un ordi pour garder un pied dans la civilisation, alors je pourrai t'écrire souvent!

20 h 56

Jeanne (en ligne): Cool! Je te donne des nouvelles bientôt! Profite bien de tes vacances et ramène-moi un souvenir quétaine!

20 h 56

Léa (en ligne): Promis! xxx

📱 20-12 08 h 34
....
Lou! On n'est même pas encore dans l'avion et je vis déjà une crise vestimentaire!

📱 20-12 08 h 35
....
Raconte!

📱 20-12 08 h 36
....
Je suis partie de chez moi en robe avec des bas aux genoux en me disant que de toute façon, je n'avais pas besoin de linge d'hiver...

📱 20-12 08 h 37
....
Mais Léa, il fait -1000 dehors!

📱 20-12 08 h 38
....
Je sais, et il fait aussi -1000 à l'aéroport.

📱 20-12 08 h 38
....
Mais tu as ton manteau d'hiver pour te réchauffer, non?

📱 20-12 08 h 40

Non. ☹ Mes parents se sont obstinés avec moi pendant trente minutes avant de partir. Ils m'ont dit que j'attraperais la pneumonie si je voyageais comme ça. J'ai finalement semi abdiqué et j'ai traîné mon manteau en jeans... Mais ce n'est pas suffisant! J'ai vraiment froid et je ne veux pas l'avouer à mes parents pour ne pas perdre la face!

📱 20-12 08 h 41

Niaiseuse!! Tu aurais dû prendre au moins ton manteau noir en laine!

📱 20-12 08 h 42

Ouais, je sais. Et en plus, ma mère tenait à arriver genre trois heures avant le vol, alors je n'ai rien d'autre à faire que de penser au fait qu'il fait froid! En attendant le départ, je me réchauffe dans l'une des toilettes de l'aérogare en me mettant en boule sous le séchoir à mains.

📱 20-12 08 h 43

Ha! Ha! Ha! Il n'y a qu'à toi que ça arrive! Tu n'as pas encore mis les pieds dans l'avion et tu connais déjà des mésaventures!

📱 20-12 08 h 44

Je sais! Mais je me console en me disant que bientôt, je serai couchée au soleil! ;) Allez, je te laisse! Je vais me réchauffer encore un peu avant d'aller rejoindre mes parents dans le petit café d'à côté (en espérant qu'il soit ultra chauffé!). xxx

📱 20-12 08 h 44

OK! Écris-moi dès que t'arrives! ☺

À : Marilou33@mail.com
De : Léa_jaime@mail.com
Date : Samedi 20 décembre, 17 h 55
Objet : Après la pluie, le beau temps ? Pfff !

Salut !

Mon karma météorologique a pris la résolution de me suivre jusqu'ici. Après avoir grelotté (c'est de ma faute, je l'admets) pendant trois longues heures à l'aéroport, je me suis finalement installée dans mon siège d'avion. Comme nous sommes quatre et que les places étaient regroupées par trois, j'ai été l'heureuse élue qui a dû s'asseoir loin de sa famille. En plus, on m'a donné un siège au centre, ce que je trouve nul. Si tu es assise sur le bord du hublot, tu peux regarder dehors ou alors dormir en t'appuyant sur le côté, et si tu es installée sur le bord de l'allée, tu peux faire signe plus facilement aux hôtesses ou aller faire pipi sans déranger personne... Mais quel est l'avantage d'être assise au centre ? Aucun. En plus, j'étais coincée entre une fille qui écoutait sa musique trop fort (et ce n'était pas très harmonieux comme rythme) et un monsieur qui ronflait tellement qu'il enterrait le son du film !

Quand je me suis assise, j'ai supplié mes parents et Félix du regard (ils étaient assis en diagonale avec moi) pour qu'ils se portent à mon secours, mais mon père m'a expliqué que comme le vol était plein, ils ne pouvaient rien y faire. Quant à Félix, il s'est bidonné sans scrupule en me voyant coincée entre Madame Heavy Métal et Monsieur Ronflements.

Comble du malheur, mon problème d'hypothermie ne s'est pas non plus réglé une fois l'avion décollé, car j'ai eu la «chance» d'être assise sous le seul petit souffleur d'air défectueux qui m'a craché une brise fraîche pendant trois heures et demie. Après avoir englouti mon repas (des pâtes collantes dans une sauce verte douteuse... heureusement qu'il y avait un brownie pour m'aider à faire passer le tout), j'ai dérangé Madame Heavy Métal (tandis que Monsieur Ronflements bavait maintenant allègrement à côté de moi) et je me suis rendue à la salle de bain avec ma petite trousse de toilette remplie de liquides de moins de 100 millilitres. J'en ai profité pour me brosser les dents et m'enduire de crème solaire. Comme l'avion atterrissait vers 13 heures et que l'aéroport était situé à moins de vingt minutes de l'hôtel, je me suis dit que j'aurais amplement le temps d'aller me faire bronzer sur la plage en après-midi.

Lors de l'atterrissage, j'ai constaté qu'on traversait des masses de gros nuages gris, mais j'ai décidé d'opter pour le déni. Quand nous avons finalement récupéré nos valises et que nous sommes sortis pour prendre la navette de notre hôtel, j'ai toutefois réalisé que non seulement le temps était couvert, mais qu'il pleuvait à boire debout et qu'il faisait même un peu frisquet.

Je me suis assise à côté de ma mère en soupirant.

Ma mère : Ne fais pas cet air-là ! Nous sommes à Cuba !
Moi (en m'efforçant de sourire) : Je sais... C'est juste
que je ne m'attendais pas à ce qu'il pleuve et qu'il fasse
aussi froid qu'au Québec.
Ma mère : T'exagères. C'est juste un petit orage...

Un énorme coup de tonnerre est venu l'interrompre.

Ma mère : Bon, OK. C'est un gros orage.

La représentante de notre hôtel, qui voyageait aussi à
bord de l'autobus, s'est alors tournée vers nous.

La dame (avec un accent espagnol prononcé) : Né vous
en faites pas. Yé jouste oune petite tornade aujourd'hui
en Varadero. *Pero mañana* tout va être mejor. *El sol, la
playa... Van a ver !*
Ma mère : Hein ?
Félix : En gros, demain il va faire beau.
Moi : Avoir su, je n'aurais pas mis quatre couches de
crème solaire.

Mes parents et Félix ont éclaté de rire.

Mon humeur s'est toutefois améliorée lorsque nous
sommes arrivés à l'hôtel. C'est débile, Lou ! Tu
capoterais de voir ma chambre ! Il y a une arche

avec deux colonnes jaunes dans l'entrée, un bain immense où je prévois me prélasser pendant des heures et un énorme balcon avec une vue sur l'océan (qui est gris en ce moment, mais que j'imagine turquoise sous les rayons du soleil). Le seul hic, c'est que je partage ma chambre avec Félix, et que je me suis déjà engueulée avec lui parce qu'il avait choisi le lit près de la porte-fenêtre... et parce qu'il avait déterminé que c'est lui qui aurait le contrôle de la manette de la télé. Mais j'ai espoir que dès qu'il sortira de la douche, il ira explorer le reste de l'hôtel à la recherche de conquêtes amoureuses potentielles et qu'il me laissera tranquille.

D'ailleurs, il vient de sortir de la salle de bain, alors je vais en profiter pour aller prendre ma douche avant le souper.

Je pense à toi et j'ai hâte d'avoir de tes nouvelles !

Léa xox

À : Léa_jaime@mail.com
De : Marilou33@mail.com
Date : Dimanche 21 décembre, 14 h 55
Objet : L'art de ne rien faire !

Salut !
Je viens de lire ton courriel et je pleure de rire ! Je
t'imagine tellement avec ta crème solaire et tes lunettes
de soleil alors qu'un ouragan frappe Cuba ! J'espère
que la température s'est améliorée et que ton frère ne
t'a pas rendue folle depuis hier !

De mon côté, c'est le calme plat à la maison et j'adore
ça. Mes parents sont en vacances, ce qui veut dire que
je n'ai pas à m'occuper de mon petit frère, et je suis en
congé de devoirs et de natation pour les deux prochaines
semaines. Je capote !

Ce soir, Laurie et Steph viennent chez moi pour
regarder des films (mes parents m'ont même donné la
permission de mettre la grosse télé dans ma chambre
pour qu'on ait la paix ! Je te jure, ils sont louches ces
temps-ci). Potin pour toi : hier soir, Laurie a convaincu
Steph de l'accompagner dans un party qu'organisait
un ami de Christian (qui n'est toujours pas son « chum
officiel » selon elle), et il semblerait que Steph ait
frenché quelqu'un ! ! Je n'en sais pas plus, car elle m'a
dit au téléphone qu'elle préférait me raconter de vive
voix, mais je te promets de tout te dire !

Laurie a aussi essayé de me convaincre de les accompagner, mais j'avais déjà promis à JP de passer la soirée avec ses amis. Je sais que l'ancienne Marilou aurait tout fait pour se sauver d'une telle obligation et aurait sauté sur l'occasion du plan B proposé par Laurie, mais je me suis dit que comme JP était devenu le meilleur chum au monde depuis qu'on a repris, je me devais aussi de faire des compromis. Est-ce qu'on appelle ça de la maturité ? Oui, parce que je l'ai fait de bonne foi, mais non, parce que je l'ai regretté tout au long des cent quatre-vingt-sept minutes qu'on a passées chez Seb. Oui, j'ai compté les minutes. Ça te donne une idée de l'atmosphère festive qui régnait chez lui. Premièrement, Thomas était là, avec sa face pleine de remords. (Je pense qu'il frissonne encore chaque fois qu'il me voit à l'idée que je m'échappe et que je dise à tout le monde qu'il a trompé sa Sarah-la-cruche avec toi !) Deuxièmement, sa blonde nunuche était aussi présente avec ses acolytes Géraldine et Odile, ce qui veut dire que j'étais complètement isolée. Je me suis donc assise dans un coin et j'ai commencé à gosser sur mon cellulaire. Je poussais parfois de longs soupirs pour attirer l'attention de JP, mais il ne semblait même pas s'apercevoir que je m'ennuyais à mourir ! Bref, plus les minutes passaient, et plus je pompais. Pourquoi il ne venait pas vers moi ? Pourquoi riait-il des blagues d'Odile ? Pourquoi avait-il l'air d'avoir du *fun* alors que j'étais en train d'agoniser ? Quand il est finalement venu me voir (genre vingt minutes plus tard), j'étais rouge tomate et sur le point de péter un câble.

JP (en m'embrassant sur la joue) : Qu'est-ce que tu fais là, toute seule ?

Moi (en lui faisant de l'attitude) : Hum ? Tu réalises enfin que j'existe ?

JP (en chuchotant) : Lou, qu'est-ce qui se passe ? Pourquoi t'es *frue* tout à coup ?

Moi : Ce n'est pas « tout à coup »; mon état relève d'une accumulation d'évènements : 1- je m'emmerde, 2- les trois cruches n'arrêtent de me dévisager et 3- mon chum m'ignore.

JP : Je pense que tu capotes pour rien. Et ce n'est pas de ma faute si tu t'isoles chaque fois qu'on voit mes amis !

Moi : Je m'isole parce que je n'ai justement pas d'ami, ici.

JP : Si tu faisais un effort et que tu parlais aux filles, je suis sûr que ça irait mieux !

Moi : Pfff ! Pas question que je fraternise avec le diable incarné et ses disciples teintés. Je suis solidaire de mes amies, et je refuse de sympathiser avec l'ennemi.

JP a soupiré et m'a lancé un regard exaspéré. J'ai alors réalisé que je n'aidais pas la cause, et que si je continuais avec mon air bête, non seulement j'allais ruiner ma soirée, mais j'allais aussi gâcher la sienne.

Moi (en l'attirant vers moi) : Excuse-moi. Je sais que je ne suis pas de bonne compagnie, mais c'est plus fort que moi... C'était cool avant parce que Steph était là, mais maintenant qu'elle ne sort plus avec Seb, c'est un peu plate pour moi.

JP : Essaies-tu de me dire qu'on ne peut plus voir mes amis ?

Moi (en souriant) : Ben non. J'essaie juste de dire que JE ne peux plus voir tes amis !

JP : Marilou...

Moi (en l'interrompant) : Je ne veux pas me disputer, JP. On a déjà cassé une fois à cause de ça, et je ne veux pas que ça se reproduise... Je propose donc qu'à l'avenir, quand tu as envie de les voir, tu me le dises avant pour que j'organise quelque chose de mon bord.

JP : Ah, OK. Mais tu ne vas pas être fâchée si je passe des soirées avec eux de temps en temps ?

Moi (en souriant) : Non. Je pense même que ça va nous aider. Tu vois ? Je suis super cool comme blonde ! Tu es libre de faire ce que tu veux. Et je t'aime même si tes amis sont des morons.

J'ai fait une grimace pour faire rire JP, et ça a fonctionné. Il m'a embrassée puis il m'a soufflé quelque chose à l'oreille.

JP : T'es folle. Tu le sais, hein ?
Moi (en souriant encore plus) : Oui.

Quelqu'un a toussoté derrière nous.

Sarah-la-cruche (en nous dévisageant) : Désolée de vous déranger, les tourtereaux, mais Tom propose qu'on aille jouer au billard. Ça vous tente ? À moins que vous préfériez rester ici à vous *frencher* comme des ados ?

1- Tom ? Depuis quand Thomas s'appelle-t-il Tom ? ! ?
2- C'est quoi son problème ? Elle est jalouse parce que JP est affectueux alors que c'est à peine si Thomas lui prend la main en public ? Pas fort pour un *troue love* ! (Hi ! Hi ! Je ris dans ma barbe chaque fois que je pense à la faute dans son tatouage !)
3- Euh. C'est parce qu'on est des ados, ÉPAISSE !

J'allais lui servir une réplique digne de mes meilleures, mais JP s'est prononcé avant moi.

JP : On va passer notre tour pour le billard. Je pense qu'on aime mieux *frencher*.

J'ai éclaté de rire. Je pense que je n'ai jamais autant aimé JP qu'à cet instant-là !

Il m'a raccompagnée chez moi et on s'est embrassé dans le froid pendant dix minutes. Voici le résumé palpitant de ma vie depuis ton départ ! Maintenant que je n'ai plus rien à faire de mes dix doigts, j'attends avec impatience la suite de tes aventures cubaines !

Ta *best* qui a froid !
xox

À : Marilou33@mail.com
De : Léa_jaime@mail.com
Date : Dimanche 21 décembre, 18 h 55
Objet : Ma nouvelle meilleure amie

Coucou !
Premièrement, je sais que je te l'ai déjà dit mille fois, mais merci d'être aussi loyale ! J'adore le fait que tu refuses d'enterrer la hache de guerre avec Sarah, et je crois qu'il y a de ces batailles qui ne connaîtront jamais de fin heureuse (comme entre Maude et moi, par exemple !).
Deuxièmement, j'avoue que JP m'impressionne. Le JP pré-rupture aurait vraiment été fâché que tu boudes dans ton coin et que tu refuses de *chiller* avec ses amis, mais le JP 2.0 post-rupture communique avec toi et il t'accepte comme tu es ! Je veux un chum comme ça, moi aussi !
Troisièmement, c'est vrai que tu es plus mature. Même si tu as décidé de t'exclure et de pomper parce que tu n'avais pas son attention, tu as réussi à t'exprimer et

à lui demander pardon. Bravo, les amoureux ! Deux morceaux de robot !

Ici, les choses ont évidemment déjà beaucoup évolué en trente-six heures (c'est ce qui arrive quand tu voyages avec Félix Olivier et qu'une petite fille de dix ans te suit comme un pot de colle). Laisse-moi te résumer la situation.

Hier soir, mes parents ont proposé d'essayer le restaurant italien près de la piscine principale (il y en a une autre près de la mer qui est réservée aux activités aquatiques avec les G.O.).

Moi (en m'assoyant) : C'est parfait comme choix. Je vais pouvoir commander de la lasagne. Et toi, Félix, tu vas commander quoi ? Des *pasta al moron* ?

J'ai ri de ma propre blague et j'ai levé les yeux vers mon frère pour voir sa réaction. Non seulement il ne l'avait pas entendue, mais il avait l'air complètement obnubilé par quelque chose – ou devrais-je dire quelqu'un – un peu plus loin.

Moi : Eille ! Je te parle !
Félix (sans détacher son regard de la personne qu'il fixait) : Hein ?
Moi : Laisse faire ! Ce n'est pas aussi drôle si je répète ma blague. Mais qu'est-ce que tu regardes comme ça ?

Je me suis tournée vers la fille qui avait capté son regard. Il s'agissait d'une blonde qui devait faire deux fois ma taille et qui était si jolie qu'elle aurait pu donner des complexes à Taylor Swift ou Selena Gomez. Je m'apprêtais à dire à Félix qu'il n'avait aucune chance lorsque j'ai aperçu le garçon qui était assis à côté de la grande blonde. C'était sans contredit le plus beau gars que j'avais vu de toute ma vie.

Félix (en revenant soudain sur terre) : Pourquoi t'es rouge comme ça ? C'est pour te fondre avec ton spaghetti aux tomates ?
Moi (en bafouillant) : Pfff. Tellement pas. Je ne suis pas rouge. Je... suis... bronzée.
Félix : Bronzée par la tornade ?

Je lui ai fait une grimace et j'ai fait un effort pour me concentrer sur ce que mes parents me racontaient. Comme j'étais assise dos au beau gars, je n'arrivais pas à l'observer ni à découvrir s'il était en couple avec la blonde-aux-jambes-qui-mesurent-deux-mètres.

À la fin du repas, Félix s'est finalement penché vers moi.

Félix : OK, je suis rassuré. Ils sont frère et sœur et semblent être en vacances avec leurs parents, eux aussi.
Moi (en jouant l'innocente) : Hein ? De quoi tu parles ?

Félix (en chuchotant) : Je ne suis pas dupe, la sœur. Je sais bien que tu as *spotté* le blond qui est assis à côté de ma future épouse.

Sa réplique m'a fait cracher un morceau de gâteau de chocolat. J'ai regardé Félix. Je savais que si je voulais en découvrir davantage à propos de mon don Juan, je devais faire équipe avec lui.

J'allais lui répondre quand un couple et leur petite fille sont venus nous interrompre.

La dame (en se penchant vers nous) : Excusez-nous de vous déranger pendant votre repas, mais nous étions assis à la table d'à côté, et quand nous avons réalisé que vous étiez québécois, on s'est dit qu'il fallait absolument venir se présenter !
Le monsieur (d'un ton tout aussi enthousiaste) : Mets-en ! Eille ! Ce n'est pas tous les jours qu'on croise des Québécois en vacances !

Mes parents ont échangé un regard. Comme nous avions atterri à peine quelques heures plus tôt et que nous avions passé près de quatre heures dans un avion bondé de Québécois, je savais très bien qu'ils n'avaient aucunement le mal du pays. Ma mère les a salués poliment et mon père a serré la main de Réal et Guylaine.

Guylaine : Et je vous présente notre fille, Mégane.
Réal (en se penchant vers sa fille) : Regarde, Mégane !
On t'a même trouvé une petite amie avec qui tu pourras
jouer !

J'ai regardé autour de moi pour connaître sa nouvelle
copine de jeu, puis j'ai croisé le regard de mon frère,
qui se mordait les joues pour ne pas éclater de rire.
C'est là que j'ai compris. Réal et Guylaine pensaient
que JE serais la « petite amie avec qui Mégane pourrait
jouer ». *MY GOD !*

Félix (en s'efforçant de rester sérieux) : Ah oui ! Bonne
idée ! Je suis sûre que ma petite sœur va être contente
de jouer avec Mégane.

J'ai envoyé un regard noir à mon frère et je me suis
tournée vers ma nouvelle « amie ».

Moi : Euh. T'as quel âge, Mégane ?
Mégane : Je vais avoir dix ans dans quatre mois !
Moi : Ah. Moi, j'ai quinze ans... bientôt seize. Alors j'ai
peur que tu t'ennuies avec moi. Genre qu'on ne tripera
pas sur les mêmes « jeux ».
Mégane (en me regardant d'un air admiratif) : Wow.
J'ai toujours rêvé d'avoir une amie plus vieille.

J'ai remarqué que mon père se retenait aussi pour ne
pas rire.

Guylaine (en tapant des mains de façon beaucoup trop enthousiaste) : J'ai une idée ! Pourquoi on ne se rejoint pas tous au buffet demain matin pour le petit-déjeuner ?
Ma mère : Euh. C'est qu'avec deux ados, je ne crois pas qu'on soit aussi matinaux que vous.
Moi : Pfff. Papa et toi êtes ben plus paresseux que Félix et moi. Pas vrai, Félix ?

J'ai jeté un coup d'œil vers mon frère, qui ne suivait plus du tout la conversation puisqu'il était une fois de plus envoûté par la présence de la grande blonde.

Réal : Bon, alors j'ai une autre idée ! Nous irons à la piscine et nous vous réserverons des chaises longues ! Comme ça, nous pourrons passer la journée à jaser en sirotant des daïquiris !

Ma mère a souri poliment, mais je la connais assez bien pour savoir qu'elle n'avait aucune envie de passer son deuxième jour de vacances en famille avec de parfaits inconnus.
Mégane (en me regardant avec de grands yeux) : Super ! Je pourrai aller jouer avec ma nouvelle amie dans la piscine ! Au fait, c'est quoi ton nom ?
Moi (en me retenant pour ne pas me mettre à hurler) : Léa.

Mégane s'est approchée de moi et m'a fait un gros câlin.

Mégane : Tu vas voir, Léa. On va avoir beaucoup de *fun* ensemble !

Quand la famille Câlinours a fini par partir (après nous avoir fait promettre de les rejoindre le lendemain), j'ai poussé un long soupir.

Ma mère : En tout cas, on ne peut pas dire qu'ils ne sont pas sympathiques.

Mon père : Je sais bien, mais je rêvais déjà de passer la journée de demain étendu sur la plage avec mon roman historique... Je n'ai pas le goût de jaser avec Réal.

Moi : Moi, j'aimerais mieux jaser avec Réal que de jouer dans la piscine avec ma nouvelle meilleure amie de huit ans.

Ma mère (en se retenant pour ne pas rire) : T'exagères, Léa ! Elle a presque dix ans, et on voit dans ses yeux à quel point elle t'admire. Ne soyez pas si durs avec eux. Je suis sûre qu'ils sont de bonne compagnie.

Quand nous avons quitté le restaurant, j'ai remarqué à mon grand désarroi que le beau gars était parti sans que je puisse en savoir davantage sur lui. Nous avons regagné nos chambres respectives, et je me suis obstinée avec Félix pendant dix minutes pour savoir qui aurait le contrôle de la manette. Comme nous faisions face à un conflit sans issue, nous avons finalement décidé d'alterner d'une soirée à l'autre pour éviter de nous entretuer.

Comme j'ai perdu le tournoi de roche-papier-ciseaux déterminant le détenteur de la précieuse manette pour la première soirée, j'ai fini par m'endormir sur le film d'action plate que Félix avait sélectionné.

Ce matin, je me suis réveillée avec le sourire quand j'ai constaté que l'ouragan avait cédé sa place au soleil, et qu'il faisait enfin un peu plus chaud à l'extérieur. Après avoir déjeuné en famille au buffet bondé de touristes, nous sommes sortis à la recherche de chaises longues inoccupées.

Mon père : Je pense qu'à l'avenir, il va falloir que je me lève plus tôt pour réserver des chaises.
Moi (en souriant) : Du moment que tu ne me demandes pas de le faire, je t'encourage fortement dans ta démarche !

Tout à coup, nous avons aperçu la famille Câlinours qui nous regardait en faisant de grands signes.

Ma mère : Vous voyez comme ils sont gentils ? Ils ont tenu leur promesse et ils nous ont réservé des chaises !
Moi (d'un ton sarcastique) : Hourra. Ça veut dire que je pourrai jouer avec mon amie.

Et comme de fait, j'ai à peine eu le temps de déposer ma serviette que Mégane s'est ruée sur moi et m'a tirée par le bras.

Mégane : Viens, Léa ! On va se baigner !

Moi : Euh. Je voudrais juste prendre le temps de digérer mon croissant avant.

Félix (en souriant bêtement) : Ben voyons, Léa ! Va digérer dans la piscine ! Ne fais pas attendre ton amie !

Je lui ai lancé un autre regard noir, puis j'ai suivi Mégane dans l'eau. Après avoir passé près de deux heures avec elle à jouer au volleyball en équipe, au badminton et à la chasse aux billes dans le fond de l'eau, j'ai fini par me sauver en lui expliquant que mes doigts étaient tout ratatinés et que j'avais envie de me reposer.

Mégane : OK, mais pas trop longtemps ! Je nous ai déjà inscrites au cours de baladi aquatique à 14 heures, et au cours de danse latine à 16 heures ! On va tellement avoir de *fun* !

J'ai entendu Félix qui s'esclaffait derrière moi. Je suis allée m'asseoir sur la chaise à côté de lui en soupirant.

Moi : Comment je fais pour me sortir de là ? Elle n'arrête pas de me coller et de m'inscrire dans des activités que je n'ai aucune envie de faire, et je n'ose pas lui dire non ! En plus, ses parents nous regardent tout le temps, alors je ne peux pas me sauver en chevreuil !

Félix : Hé ! Hé ! Moi, je trouve ça drôle à regarder, en tout cas ! Mais je ne serai pas là pour voir ton spectacle de baladi et de danse latine, parce que j'ai promis à Ingrid qu'on irait prendre un verre un peu plus tard.

Moi (en mettant mes lunettes de soleil et en m'allongeant confortablement): Ingrid? C'est qui, Ingrid?

Félix: La grande blonde que j'ai *spottée* au restaurant hier soir. On s'est croisés tantôt près du bar. J'ai appris qu'elle s'appelait Ingrid, qu'elle avait dix-neuf ans, qu'elle venait d'Allemagne, qu'elle parlait super bien anglais et même un peu français et qu'elle était en vacances avec ses parents et son petit frère Mathias.

Je suis aussitôt devenue rouge tomate.

Félix: Coudonc! Le soleil agit rapidement! T'es déjà brûlée comme un homard!

Moi: Pfff. Je suis bronzée.

Félix: Arrête, Léa! Je sais que c'est le beau Mathias qui te fait cet effet-là!

Moi: Du tout.

Félix: OK... Fais à ta tête. Mais si jamais tu changes d'idée ou alors que tu cherches une échappatoire à ton cours de Shakira 101 avec Mégane, Mathias nous a dit qu'il viendrait nous rejoindre vers 17 h aux balançoires, alors tu es la bienvenue.

Moi (en m'efforçant de rester cool alors qu'au fond, j'avais envie de danser – même le baladi – tant j'étais contente de rencontrer le frère d'Ingrid): Ouais, OK. Je vais passer vous voir. Ça me permettra de me sauver de Mégane pendant quelques heures.

J'ai lu des magazines jusqu'à mon cours de baladi aquatique, qui s'est avéré aussi pénible que tu peux te l'imaginer (surtout quand on tient compte du fait que je suis aussi souple qu'une planche de bois). Avant le cours de danse latine, je me suis précipitée dans ma chambre pour prendre une douche et mettre ma plus jolie robe. Après tout, il n'était pas question que je rencontre Mathias (quel beau nom!) alors que j'avais l'air d'un caniche mouillé!

Le cours de danse était encore plus pénible que celui dans la piscine. La G.O. nous encourageait à créer des liens avec nos camarades et à nous «laisser aller dans nos mouvements pour nous libérer de notre stress quotidien» tandis que Mégane insistait pour que je fasse des chorégraphies complètement débiles avec elle.

Moi (en me déhanchant) : Écoute, Mégane... Je sais que le cours n'est pas fini, mais il faut vraiment que j'aille rejoindre mon frère. Je lui ai promis qu'on passerait du temps ensemble.
Mégane (en me regardant d'un air déçu) : Oh... Est-ce que je peux venir?
Moi : C'est... parce qu'il veut me parler de quelque chose de personnel, alors c'est mieux pas. Mais on se revoit cette semaine, OK?
Mégane : Demain?
Moi : Euh. Peut-être...

Mégane : Je sais ! Je vais aller au bureau des G.O. pour m'informer sur les activités et je vais nous inscrire dans toutes celles qui ont l'air le fun !

Moi : Ouin... Le problème, Mégane, c'est que j'ai aussi envie de m'écraser sur la plage et de lire en me faisant bronzer, tu comprends ?

Mégane (visiblement sans rien comprendre) : Oh ! Ce n'est pas un problème ! Je vais m'arranger pour trouver des activités sur la plage !

J'ai soupiré.

Moi : On s'en reparle demain ! Je dois y aller ! *Ciao !*

Je me suis dirigée vers les balançoires de la plage où mon frère m'avait donné rendez-vous, et j'ai aperçu Félix qui était en pleine séance de *french* avec Ingrid. Comble du malheur : Mathias n'était pas là.

Ingrid a ouvert les yeux pendant quelques secondes et s'est détachée de mon frère pour me saluer.

Ingrid (avec un accent allemand) : Bonjour, *sweetie* !

Sa voix et son ton je-suis-toujours-heureuse-même-quand-je-me-lève-le-matin m'ont évidemment fait titiller.

Moi : Euh. Bonjour.

Félix (en me faisant de gros yeux pour que je décolle) :
Mathias a une insolation. Il ne se joindra pas à nous,
finalement.

Moi : OK. Ben je vais remonter à la chambre avant que
Mégane me voie et m'offre de jouer au bingo.

Ingrid (sans trop comprendre ma blague) : Bingo ? Oh !
J'ai envie de jouer au bingo !

Félix (avant de l'embrasser passionnément) : Mais non.
C'est plus cool de rester ici, avec moi.

J'ai grimacé et j'ai rebroussé chemin. Quand Félix a
finalement regagné la chambre juste avant le souper,
je n'ai pas pu m'empêcher de lui envoyer un petit
commentaire sarcastique.

Moi (en zappant) : En tout cas, on ne peut pas dire que
tu perds du temps.

Félix : C'est un amour de vacances, Léa. Il n'y a aucune
minute à perdre ! Mais ne t'en fais pas, j'ai déjà dit à
Ingrid qu'on passerait la journée de demain avec elle et
son frère à la plage.

Moi : « On », est-ce que ça m'inclut ?

Félix : Ouais. Même si je trouvais ça hilarant de te voir
faire de la Zumba aquatique avec ta nouvelle *best*, je
me suis dit que ça te ferait du bien de passer la journée
avec des grands !

Moi (en le prenant dans mes bras) : Merci ! ! !

Je te laisse, car mes parents m'attendent au restaurant, mais comme tu vois, ma vie est compliquée, même en vacances ! J'espère que je t'ai divertie, et j'attends impatiemment les potins sur Steph et son mystérieux *french* !

Tu me manques !
Léa xox

À : Léa_jaime@mail.com
De : Katherinepoupoune@mail.com
CC : Jeanneditoui@mail.com
Date : Mardi 23 décembre, 20 h 03
Objet : Joyeux Noël !

Salut, toi !
Jeanne est chez moi en ce moment et on s'est dit qu'on t'écrirait un courriel pour te souhaiter joyeux Noël ! Je vais disparaître pendant plusieurs jours dans ma famille à Gatineau, alors Jeanne et moi avons organisé un petit pyjama party pour célébrer son retour du ski et pleurer la venue de mon isolement social !

Jeanne a quelques aventures de skieuse à te raconter, et comme elle est censée passer la journée de vendredi avec Alex, elle fait dire qu'elle va t'écrire pour te relater tout cela sous peu !

De mon côté, j'ai un minipotin pour toi. Hier soir, Éloi, Alex et moi avons décidé d'aller voir un film au cinéma (je voulais vraiment voir la comédie avec Ashley Benson, mais les gars m'ont dévisagée et m'ont traînée de force vers un film d'action dont je ne me rappelle même plus du titre – ça te donne une idée d'à quel point les poursuites policières m'ont semblé viriles !). Comme je m'ennuyais à mourir après une heure de visionnement, j'ai décidé d'aller acheter du popcorn, et c'est là que je suis tombée face à face avec... Olivier !

Lui : Salut, Katherine ! Le monde est petit !

Moi (un peu mal à l'aise) : Ouais !

Lui : T'es venue voir quel film ?

Moi : Je sais pas. Un film d'action tellement plate que j'ai fui la salle pour acheter quelque chose à manger ! Toi ?

Lui : La comédie romantique avec l'actrice blonde. Je ne me rappelle plus du titre non plus ! Ce n'est pas moi qui ai choisi le film.

Moi (en essayant d'être subtile) : Oh, je vois. C'est une fille qui t'a convaincu de voir ça ? !

Lui : Ouais. Ma grande sœur.

Moi : Oh. C'est ben *cute* !

Lui : Pas vraiment ! Mais son chum vient de casser avec elle alors je me suis dit que ça lui remonterait le moral d'aller au cinéma. Et toi ? Avec qui es-tu venue ?

Moi : Éloi et Alex.

Lui : Hum. C'est tout ?

J'ai souri. Je savais bien qu'au fond, il voulait savoir si tu étais là et s'il avait une chance de te croiser.

Moi : Ouais. Comme je suis la seule fille et que c'est deux contre un, je suis pognée avec le film d'action !
Lui (d'un air un peu déçu) : Hum. Je vois.

Ne m'en veux pas pour ce que j'ai dit ensuite. Mais il faisait tellement pitié à voir !

Moi : Elle est en voyage. À Cuba.
Lui (les yeux brillants) : Elle revient quand ?
Moi : À la fin des vacances.
Lui : OK. Merci, Katherine. Et joyeux Noël !

Comme Jeanne et moi te connaissons bien, nous savons déjà ce que tu vas rétorquer : comme il n'a pas fait mention de ton nom, il pensait peut-être que je faisais référence à Maude.

Voici la preuve que ton hypothèse est invraisemblable : dimanche soir, Lydia m'a envoyé un texto pour m'inviter à un party chez elle. Je n'y suis pas allée, mais Alex est allé faire un tour, et il m'a raconté hier que non seulement Maude et José étaient présents et qu'ils s'étaient embrassés toute la soirée, mais qu'en plus, Lydia avait invité Olivier parce qu'elle a un *kick* sur lui. (C'est Marianne qui l'a dit à Alex. Il paraît que Maude lui a donné son feu vert puisqu'elle voulait revenir avec José et qu'elle ne voulait plus rien savoir d'Olivier.) Bref, Alex m'a dit que Marianne lui avait raconté que Lydia avait tout fait pour séduire Olivier, mais qu'il n'était pas du tout intéressé parce qu'il était amoureux de quelqu'un d'autre. Tu me suis ?

DONC
1- Olivier sait que Maude n'est pas à Cuba puisqu'il l'a vue dimanche soir.
2- Olivier sait aussi que Maude est en train de reprendre avec José.
3- Olivier a rejeté Lydia parce qu'il est amoureux d'une autre... et cette autre... c'est une fille qui est en vacances à Cuba !
4- Je sais que mon récit est un peu décousu, et si jamais t'as besoin d'un dessin, ça me fera plaisir de t'en faire un à ton retour !

Alors voilà ! Je sais que tu en veux encore à Olivier et que tu es passée à autre chose, mais sache qu'il pense encore à toi ! Et même si tu ne l'aimes plus, ça fait toujours du bien de savoir que quelqu'un nous aime. (Jeanne me regarde en faisant des « oooh » et en me traitant de quétaine. Désolée. Je crois que Noël me rend romantique.)

Voilà ! C'est tout ! On te laisse pour aller regarder notre film (Une comédie romantique, cette fois ! Pas de gars pour nous arrêter !), mais écris-moi (Jeanne fait dire de lui écrire aussi) dès que tu peux ! On veut des potins !

On s'ennuie de toi !
Luv
Katherine et Jeanne

Chapitre 2 :
Uno, dos, tres, tourista !

Mardi 23 décembre

22 h 47

Marilou (en ligne): Léa? LÉ-A! Dis-moi que tu es là!

22 h 48

Léa (en ligne): Oui!!! J'allais justement t'écrire un autre courriel désespéré puisque je suis sans réponse depuis deux jours! Pour une fille qui se tourne les pouces, tu n'es pas très rapide sur le clavier! ☺

22 h 49

Marilou (en ligne): Désolée... J'ai parlé trop vite quand je t'ai dit que c'était le calme plat. Ma mère a décidé sur un coup de tête d'aller visiter sa sœur à Québec jusqu'à demain, alors j'ai dû aider mon père à préparer le réveillon. J'essaie de me racheter étant donné que je ne serai pas présente le 25 décembre!

22 h 49

Léa (en ligne): OK. Tu as une bonne excuse; tu es pardonnée!

Marilou (en ligne): Cool! Ceci étant dit, je meurs d'envie de savoir comment s'est déroulée ta journée avec Ingrid et Mathias, et s'il y a des développements avec ton bel Allemand! Sans parler de Mégane! Est-ce qu'elle s'est enfin fait une amie de son âge?

22 h 51

Léa (en ligne): Je vais prendre une douche, mais je te promets de t'écrire tous les détails par courriel ensuite! Ça te va?

22 h 52

Marilou (en ligne): OK!

22 h 53

Léa (en ligne): Oh, mais avant que je parte, as-tu des infos à propos de Steph?

22 h 53

Marilou (en ligne): Oui! Tu te souviens de Benoît, l'ami *nerd* de Christian?

22 h 54

Léa (en ligne): Tu veux dire l'ami ultra bollé de Christian! J'avais fait un travail de sciences avec lui en secondaire 2. Mon seul 100 % à vie dans cette matière! OH! C'est lui? Wow! Il est pas mal plus déniaisé que je le pensais!

22 h 55

Marilou (en ligne): Avoue! Steph m'a raconté qu'il lui avait fait une sorte de déclaration d'amour pendant la soirée. Genre «je n'aurais jamais osé te le dire pendant que tu sortais avec Seb, mais maintenant que tu es célibataire, je ne perds rien à te l'avouer...»

22 h 55

Léa (en ligne): Wow! Et elle est intéressée?

22 h 56

Marilou (en ligne): Elle m'a dit que non. Qu'elle l'avait embrassé après sa déclaration, mais qu'elle n'avait rien ressenti, et qu'elle préfère rester célibataire pour l'instant.

Léa (en ligne): Je la comprends! Mais bon, il n'y a rien de mal à avoir un peu d'action dans sa vie!

22 h 57

Marilou (en ligne): Parlant de ça, va donc prendre ta douche, que j'aie les potins!

22 h 58

Léa (en ligne): OK, OK! Aimes-tu mieux que je te les raconte sur Skype?

22 h 59

Marilou (en ligne): Non; mon petit frère refuse d'aller au lit, alors de toute façon, je dois lui lire une histoire. Ensuite, je lirai la tienne pour m'endormir! Ha, ha!

22 h 59

Léa (en ligne): Lol! Je te promets plein de rebondissements! À tout de suite! xxx

À : Marilou33@mail.com
De : Léa_jaime@mail.com
Date : Mercredi 24 décembre, 09 h 43
Objet : Troisième fesse

Je sais ! Je ne t'ai pas écrit hier soir comme promis.
En sortant de la douche, j'ai vu que Félix écoutait un
épisode de *How I Met Your Mother*, et j'ai commencé à
le regarder avec lui, mais je me suis endormie ! Mais
bon, pour me rattraper, je t'écris très tôt ce matin.

Comme c'est la veille de Noël, je me suis réveillée à
8 h 15 en me sentant un peu fébrile. On a beau vieillir,
la magie de Noël perdure, et je me sens encore comme
une enfant le 24 au matin ! Le seul « problème », c'est
qu'il y a des palmiers dehors. OK, je t'entends d'ici qui
rouspètes et qui me fais de gros yeux. Je sais ce que
tu vas me dire : « Est-ce que tu me niaises ? ? ? Tu n'as
pas le droit de te plaindre ! Il fait -1000 au Québec ! »
J'avoue que c'est cool d'être au chaud, MAIS je trouve
que Noël, c'est plus magique avec de la neige !

Maintenant que j'ai exprimé mon opinion, passons aux
choses sérieuses.

Comme tu le sais, avant-hier, mon frère avait donné
rendez-vous à Mathias et Ingrid sur la plage, et il avait
eu la bonté (ce doit être Noël qui le rend gentil comme
ça) de m'inviter à me joindre à eux. J'ai donc enfilé

mon plus beau bikini (ou plutôt celui dans lequel je me sens le moins patate) et ma robe soleil rayée rouge et blanc et j'ai suivi Félix jusqu'aux chaises longues en bordure de mer. À ma grande surprise, elles étaient presque toutes libres.

Moi : Pourquoi les gens se battent-ils pour les chaises près de la piscine alors que personne n'occupe celles de la plage ?

Félix (en mettant sa main en visière au-dessus de ses yeux pour regarder au loin) : Je pense que les parents ont la même logique que toi.

J'ai plissé les yeux et j'ai aperçu ma mère et mon père qui étaient étendus sur des chaises un peu plus loin et qui nous faisaient des signes de la main.

Moi (en soupirant) : Je ne serai jamais capable de jouer à la femme fatale avec eux qui nous espionnent.

Félix : Relaxe. Ils ne nous espionnent pas. Ils essaient simplement d'échapper à la famille Câlinours.

Moi : Quoi ? Réal voulait encore passer une journée en tandem ?

Félix : Ouais ! Et comme les parents ont dû se taper un tournoi de bridge avec eux jusqu'aux petites heures du matin, ils ont envie d'être dans leur bulle aujourd'hui.

Moi : Hein ? Les Câlinours les ont interceptés après notre souper ?

Félix (en riant) : Ouais ! C'est papa qui m'a raconté ça au petit-déjeuner ! Et ce n'est pas tout ! Guylaine a essayé de les convaincre d'aller faire du kayak de mer cet après-midi !

Moi : Hum ! Connaissant papa et son mal de mer chronique, ça devait lui tenter sans bon sens !

Félix : Exact ! Mais quand il leur a expliqué que c'était impossible, les Câlinours ont répliqué en proposant un voyage à La Havane ! Maman a finalement dû leur dire qu'elle voulait passer une journée avec nous pour s'en sortir !

Moi : Mais ils sont bien acharnés ! Je comprends maintenant d'où Mégane tient toute son énergie.

J'ai ri et j'ai observé la mer turquoise en silence pendant quelques instants. Le paysage est tellement beau, Lou, qu'il faut parfois que je me pince pour réaliser que je suis vraiment ici !

Une voix stridente est venue interrompre mon moment de béatitude.

Voix stridente : LÉA ! ! Tu es là ! Je t'ai cherchée partout !

Argh ! C'était Mégane. Elle m'avait trouvée.

Mégane (en me tirant par le bras) : Viens ! J'ai apporté toutes mes billes. On va pouvoir jouer dans la piscine toute la journée !

Moi : Mais... Je...
Mégane (en faisant la moue – elle ressemblait au chat dans *Shrek*) : S'il te plaît !

J'ai levé les yeux et j'ai vu Ingrid et le beau Mathias qui s'approchaient.

Moi : Mégane, je suis désolée, mais aujourd'hui, c'est impossible pour moi.
Mégane : Pourquoi ?
Moi : Parce que je dois rester ici avec mon frère.
Mégane : Pourquoi ?
Moi : Parce qu'il ne sait pas nager et je dois le surveiller.

Félix s'est mis à tousser et m'a lancé un regard noir.

Mégane : Je peux le surveiller avec toi, alors !
Moi : C'est impossible. Pas aujourd'hui.
Mégane : Pourquoi ?

Elle m'exaspérait. J'ai pris quelques secondes pour remercier intérieurement mes parents de ne jamais m'avoir fait de petite sœur, puis je me suis creusé la tête pour essayer de trouver une explication qui la ferait fuir. À ma grande surprise, c'est Félix qui s'est porté à mon secours.

Félix : Parce que je suis gêné de mes techniques de nage, et que je préfère rester seul avec Léa. Mais je te promets que dès que nous aurons fini, elle ira te rejoindre, et qu'elle passera tout plein de temps avec toi cette semaine.

J'ai fait de gros yeux à Félix. J'étais contente qu'il me vienne en aide, mais je ne tenais pas non plus à ce qu'il lui fasse de fausses promesses.

Mégane (en baissant les yeux) : Oh ! Je comprends.

Sa déception s'est aussitôt transformée en joie.

Mégane (en frappant des mains) : Je viens d'avoir une super idée ! Léa, ce soir, j'aurai une surprise vraiment le fun pour toi ! Tu vas être tellement contente. Je dois y aller pour tout préparer. À plus !

Quand elle est finalement repartie vers la piscine, j'ai donné une bine à Félix.

Moi : Niaiseux ! Pourquoi tu lui as dit que je passerais plein de temps avec elle ?
Félix : Et toi ? Pourquoi tu lui as dit que je nageais aussi bien qu'un rotoculteur ? De toute façon, je ne vois pas pourquoi tu te plains. Grâce à moi, tu n'as pas à sacrifier ton après-midi avec Mathias.

Parlant du loup, mon bel Allemand s'est aussitôt matérialisé devant moi. Je lui ai souri, puis j'ai salué sa grande sœur. Je te jure, Lou, Ingrid est tellement grande et jolie que je me sens littéralement comme un écureuil gris quand je me tiens à côté d'elle. Avertissement à tous les vacanciers : le rongeur rôti est de retour !

Félix s'est empressé de faire les présentations officielles, mais comme la conversation se déroulait en anglais, je suis restée assez silencieuse et j'en ai profité pour mieux observer (ou plutôt admirer) mon dieu allemand. Laisse-moi t'en faire une description sommaire : il est grand et blond, il a les yeux noirs et mystérieux, ainsi qu'une mâchoire carrée et un sourire parfait. Tu vois le genre ?

Alors que j'étais en train de le toiser, la bouche entrouverte comme une nouille, j'ai remarqué que tout le monde m'observait.

Moi (à Félix) : Pourquoi vous me dévisagez comme ça ?
Félix : Parce qu'Ingrid vient de te poser une question et qu'on attend ta réponse.
Moi : Oh ! Excuse-moi, j'étais dans la lune. C'était quoi, la question ?
Ingrid (en souriant comme si elle participait à une pub de dentifrice) : C'est correct, *sweetie* ! As-tu un petit ami ?
Moi (un peu trop vite sur le piton) : NON ! *No ! Nein !*

J'ai répondu en regardant Mathias dans les yeux et en espérant que ce soit lui qui ait demandé à sa sœur de me poser la question.

Moi (en observant encore Mathias) : Et toi ?
Lui (en souriant timidement) : Non.

Je jubilais à l'intérieur. Mon beau Mathias était célibataire !

Il nous a alors proposé (dans un anglais impeccable, mais avec un accent indéchiffrable pour une francophone-poche-en-anglais-comme-moi) d'aller faire une balade sur la plage. Ingrid et mon frère ont pris les devants en se tenant par la main et en se bécotant sans gêne (des fois, je me demande sérieusement si Félix et moi partageons le même ADN), tandis que Mathias et moi avons marché côte à côte en silence pendant quelques secondes. Je me creusais les méninges pour trouver quelque chose d'intéressant à dire tout en m'efforçant de le traduire d'avance en anglais, mais c'est finalement lui qui a brisé la glace. Comme je suis trop nulle pour te transcrire notre conversation dans la langue originale, je te fais un sommaire traduit de notre « super » entretien.

Mathias : C'est vraiment exotique comme endroit.
Moi (en roucoulant comme une dinde) : Oui !

Mathias : J'ai des amis qui viennent ici chaque année et qui m'avaient dit que c'était un coin de paradis.
(Du moins, je pense que c'est ça qu'il a dit. Dois-je te répéter que mes connaissances de la langue anglaise demeurent limitées, surtout quand on s'adresse à moi avec un accent allemand prononcé ?)
Moi (de façon toujours aussi maladroite) : Oui.

Il devait sérieusement se demander si je savais dire autre chose que « oui ».

Mathias : C'est aussi un endroit romantique.
Moi : Oui...

Allez, Léa ! T'es capable ! Développe un peu !

Moi (en le regardant) : Ta sœur et mon frère ont l'air d'en profiter. Ils sont chanceux...

J'étais assez fière de ma réplique. Premièrement, je l'avais prononcée sans bafouiller, et deuxièmement, je laissais planer le sous-entendu que j'aimerais aussi tirer profit du romantisme de Varadero. Malheureusement pour moi, il a décidé de ne pas prendre la perche que je lui tendais, et il s'est contenté de changer rapidement de sujet. Il m'a dit qu'il avait dix-sept ans, qu'il étudiait à l'université en finances (zzz) et qu'il rêvait de posséder une villa sur le bord de la mer. À moins que ce soit un voilier ? Ou une BMW ?

J'avoue que je n'ai pas trop suivi son monologue. Je n'avais qu'une chose en tête : chercher à le séduire. Et comme me l'avait si bien répété Félix, je n'avais pas une minute à perdre.

Nous avons marché jusqu'à une petite baie un peu en retrait de la plage de l'hôtel, et Félix, Mathias et Ingrid en ont profité pour plonger dans les vagues. Les trois m'ont fait signe de les suivre, mais comme tu le sais si bien, je ne suis pas une grande nageuse comme toi. Je dirais même que j'ai autant d'affinités qu'un chat avec l'eau. J'aime bien me rafraîchir en me trempant les pieds ou en m'assoyant dans le sable et en laissant les vagues venir me chatouiller les jambes, mais la vérité, c'est que j'ai peur de l'océan. Qui sait ce qui se cache là-dedans ? Des monstres ? Des méduses ? Des requins ? Ou pire... Des nunuches marines ?

Moi (en m'approchant dangereusement de l'eau) : Euh ! Je vous attends ici !
Félix (en me faisant des signes et en hurlant) : Viens ! L'eau est super bonne !

Mathias avait les yeux rivés sur moi. C'était le moment ou jamais de l'impressionner. J'ai donc retiré ma robe rayée et j'ai avancé dans l'eau en prenant soin de me déhancher de façon semi-féminine. J'ai pris une profonde inspiration et j'ai continué à marcher jusqu'à ce que mon pied touche quelque chose de gluant. J'ai aussitôt fait une grimace et j'ai reculé d'un bond, ce qui m'a fait trébucher et tomber sur le derrière. J'ai alors entendu mon frère crier. J'ai levé les yeux, et j'ai vu une vague énorme au-dessus de ma tête. Malheureusement, je n'ai pas eu le temps de bouger avant qu'elle n'éclate sur moi. Je me suis laissé porter par le courant. Lorsque j'ai fini par refaire surface, j'ai non seulement constaté que mon top de maillot s'était détaché dans la tourmente, mais aussi que Mathias, Ingrid et Félix se tenaient tout près de moi et m'observaient d'un air inquiet.

Je me suis débattue dans l'eau pour rattacher mon maillot, puis je me suis relevée en toussant comme une démone.

Ingrid (en m'aidant à marcher) : *Are you OK, sweetie ?*

Je pouvais lire la sympathie et l'inquiétude dans son regard. Même si sa jovialité permanente me laisse un peu perplexe, je dois avouer que c'est vraiment une chic fille.

Moi (en toussant) : *Yes* ! Je suis correcte. J'ai juste avalé un peu d'eau.

Je me suis secoué les cheveux et j'ai replacé mon bikini en essayant de retrouver un peu d'aplomb. Félix et Mathias en ont profité pour aller s'étendre sur le sable, tandis qu'Ingrid me souriait toujours avec compassion.

J'allais me joindre aux garçons quand elle m'a retenue par le poignet.

Ingrid : Léa, *wait* !
Moi : Hein ? Qu'est-ce qui se passe ?
Ingrid (en me chuchotant à l'oreille) : Tu as un peu de sable dans ta culotte.

J'ai jeté un coup d'œil à mon bas de bikini et j'ai constaté l'ampleur des dégâts. J'avais ramassé une quantité tellement importante de sable que ça donnait l'impression que j'avais une troisième fesse ! Et comme je faisais dos à Mathias, celui-ci avait une vue imprenable sur ma malformation temporaire. J'ai aussitôt plongé dans l'eau sans me préoccuper des monstres marins et j'ai passé plusieurs minutes à me nettoyer dans l'océan. Lorsque j'ai enfin rejoint les autres, Mathias était en train de discuter finances avec Félix.

Je me suis étendue sur le sable et Ingrid est venue s'installer près de moi.

Ingrid : *Help* ! Les garçons discutent de choses tellement *boring* ! J'avais hâte que tu viennes me rejoindre.
Moi : Merci beaucoup de m'avoir avertie que j'avais un... problème. Et désolée pour le drame marin. Je ne suis pas très douée dans l'eau.
Ingrid : *Don't worry !* Ça m'arrive tout le temps !

Je l'ai regardée d'un air sceptique. J'avais beau essayer, je n'arrivais pas à imaginer Miss Allemagne avec une troisième fesse. Je me suis fait dorloter par les rayons du soleil pendant près d'une heure, puis nous avons regagné l'hôtel en bavardant tous les quatre.

Après avoir pris une longue douche pour déloger tous les grains de sable de mon corps et avoir partagé une paëlla avec mes parents et Félix, ceux-ci m'ont convaincue de les suivre jusqu'à l'endroit où les G.O. se réunissent tous les soirs pour animer les touristes. Je me suis assise dans les estrades pour regarder ce que les animateurs nous avaient préparé comme numéro.

G.O. : Mesdames et messieurs, bonsoir ! Aujourd'hui, nous vous proposons un concours de danse. Comme vous le savez, vous aviez toute la journée pour vous y inscrire. Voici le nom de nos deux premières participantes : Mégane Fortier et... Léa Olivier !

Tout le monde s'est mis à applaudir. Ça m'a pris plusieurs secondes avant de réaliser qu'il avait appelé mon nom. Je suis aussitôt devenue écarlate. J'étais évidemment morte de honte, mais j'étais aussi hors de moi. Comment Mégane avait-elle pu m'inscrire dans un concours aussi nul sans m'en parler ? Pour qui me prenait-elle ?

Ma super amie s'est précipitée vers moi et m'a prise par la main.

Mégane : T'es là ! Je t'ai cherchée partout ! Allez, viens !
Moi (en chuchotant et en tirant de mon côté pour rester assise) : Mégane, NON ! Je ne veux pas danser devant tout le monde ! Pour qui tu me prends ?
Mégane (en faisant sa moue manipulatrice) : Mais... Félix a dit que tu passerais du temps avec moi, et je t'avais promis une surprise !

Ma mère s'est alors penchée vers moi.

Ma mère : Vas-y, Léa ! Tout le monde attend après toi !

J'ai lancé un regard désespéré en direction de mes parents qui m'ont souri en s'efforçant de m'encourager. J'ai alors entendu les applaudissements hystériques de Guylaine et de Réal ainsi que les cris de Félix. Je me suis levée et j'ai remarqué qu'Ingrid et Mathias s'étaient joints à lui sans que je m'en aperçoive.

J'ai suivi Mégane à contrecœur et je suis allée rejoindre les autres participants réunis sur la scène. L'animateur nous a alors expliqué les règlements du concours : chaque équipe devait danser pendant une trentaine de secondes en respectant ses directives, et c'est ensuite le public qui trancherait par voie d'applaudissements. Le couple qui recevrait l'accueil le moins chaleureux de la foule après une épreuve serait aussitôt disqualifié.

L'animateur : Pour commencer, je vous demanderais de danser en canard ! Musique, s'il vous plaît.

Le DJ s'est empressé de faire jouer une salsa, et Mégane m'a pris les mains pour me faire dandiner comme un caneton. Elle s'est ensuite détachée de moi et s'est mise à avancer sur la scène en battant des bras et en faisant « coin coin », au grand plaisir de la foule qui ne cessait de l'applaudir.

À mon grand désarroi, sa prestation nous a valu une ovation, et nous n'avons pas été éliminées. Le deuxième défi était de danser le twist en imitant un éléphant (non, je ne te niaise pas), et ma coéquipière s'est une fois de plus surpassée, ce qui nous a de nouveau valu des applaudissements endiablés. Le concours s'est poursuivi ainsi pendant de longues minutes, et malgré tous mes efforts d'inaction et de léthargie, Mégane réussissait chaque fois à éblouir les spectateurs, ce qui nous a permis d'empocher le premier prix.

L'animateur (en nous offrant des colliers de fleurs) : Bravo à Mégane et Léna qui remportent une journée de sports aquatiques d'une valeur de trois cents dollars.

Décidément, mon faux nom va me talonner jusqu'à ma majorité.

Moi (d'un ton agressif) : Mon nom est LÉA, pas *Léna*.

J'ai regagné mon siège, le visage rouge.

Mégane (avant d'aller sauter dans les bras de ses parents pour célébrer sa victoire comme il se doit) : Réserve-moi une journée cette semaine, Léa. Tu vas voir : on va avoir ben du *fun* !

Mégane et moi n'avons décidément pas la même définition de « *fun* ». J'ai soupiré et mes parents m'ont accueillie comme si je venais de remporter une médaille olympique, tandis que Félix se tapait les cuisses tant il riait.

Moi : Arrête ! Tout ça, c'est de ta faute !
Félix : Mais non ! Dis-toi que tu as rendu une petite fille heureuse, et que tu pourras célébrer le tout en jouant élégamment dans la mer comme tu l'as fait aujourd'hui.

Je brûlais d'envie de lui servir une autre bine, mais Ingrid m'en a empêchée en me serrant contre elle.

Ingrid : *Good job,* Léa ! T'étais super drôle !
Moi : Oh ! J'ai pourtant fait mon possible pour ne pas l'être.

Elle m'a fait un clin d'œil, puis s'est ensuite blottie contre mon frère. Mathias s'est alors approché de moi pour me féliciter à son tour.

Mathias : Bravo ! Tu m'as impressionné !
Moi (en rougissant) : Merci !

Je ne sais pas ce qui m'a prise – sans doute la sensation que j'avais déjà touché le fond et que je n'avais plus rien à perdre –, mais j'ai décidé de sauter sur l'occasion et de lui offrir de faire une balade sur la plage pour reprendre mes esprits.

Mathias (en souriant d'un air « désolé ») : Oh ! J'aurais bien aimé, mais je suis très fatigué à cause du soleil, alors je préfère aller me coucher.

J'avais donc tort : ma vie pouvait aller encore plus mal !

Soyons honnêtes, Lou : s'il était le moindrement intéressé, il aurait sauté sur l'occasion et il serait venu se promener avec moi, tu ne crois pas ?

En plus, ça fait deux jours que je fais tout pour le croiser et le saluer, et même s'il me répond toujours par un sourire poli ou un signe de la main, il ne me propose aucune activité et ne m'a toujours pas relancée. Quand je fais un effort pour discuter quelques minutes avec lui, il est toujours gentil et souriant, mais jamais *cruiseur*.

Je ne comprends pas ! C'est quoi, le problème ? Je ne suis pas assez mature ? Pas assez belle ? Trop petite ? Trop blonde ? Trop jeune ? Ou est-ce que tu penses que j'ai complètement brûlé mes chances à cause de la troisième fesse et de la danse des canards ?

Je te laisse : Félix est debout et il veut l'ordi (sûrement pour raconter ses exploits amoureux à ses quatorze mille amis.)

J'espère que tu passeras un beau réveillon avec ta famille. Écris-moi dès que tu peux !

Léa xox

À : Léa_jaime@mail.com
De : Marilou33@mail.com
Date : Jeudi 25 décembre, 22 h 43
Objet : Joyeux Noël ! ! !

Coucou !
Premièrement, je te souhaite Joyeux Noël ! Présentement, il tombe de gros flocons et ça rend la soirée encore plus féerique, alors même si je persiste à dire que tu es chanceuse et que tu n'as pas le droit de te plaindre à cause des palmiers, je t'accorde que Noël, c'est plus magique quand il y a de la neige !

Encore une fois, ton courriel m'a fait pleurer de rire. Pauvre Léa! On dirait que la malchance (plus communément appelée Mégane) s'acharne sur toi!

J'ai aussi beaucoup réfléchi à ton histoire avec Mathias, et j'avoue que je ne le trouve pas très entreprenant. Il me semble que n'importe quel gars célibataire de dix-sept ans en vacances sauterait sur l'occasion de séduire une petite (mais pas trop) blonde de quinze ans! Vous avez juste deux ans de différence! C'est quand même pas la fin du monde! J'ai donc établi une liste d'hypothèses pour expliquer son manque d'intérêt.

1- Il est en peine d'amour, et même s'il est « célibataire », il n'arrive pas à oublier son Allemande chérie.
2- Il souffre d'une grave maladie qui l'empêche d'avoir du jugement. Je pense que Thomas est affligé du même mal. (Hi, hi!)
3- Il ne sort qu'avec des filles de son âge ou plus vieilles que lui.

Quelle que soit la raison, je pense que tu as eu ton lot de malchances au cours des derniers mois avec les gars (Julien le ténébreux, Adam, Olivier, etc.) et que tu mérites mieux que de triper sur un gars qui est trop épais pour réaliser sa chance. Désolée d'être aussi directe, mais c'est mon rôle de *best* de te ramener à l'ordre et de t'encourager à décrocher. Après tout, tu avais pour mission de profiter de ton célibat et de ne plus te casser la tête avec les garçons, alors je te pousse à continuer dans cette voie.

De mon côté, je suis revenue de chez JP il y a environ trente minutes, et c'était vraiment cool, surtout quand je compare avec l'ambiance peu festive qui règne chez moi depuis quelques jours. Comme tu le sais, ma mère a décidé de s'absenter juste avant le réveillon, et mon père était vraiment stressé de devoir tout préparer pour recevoir la famille. J'ai fait de mon mieux pour lui venir en aide, et j'ai même essayé de profiter de l'occasion pour me rapprocher de lui, mais comme il était toujours sur le gros nerf, ce n'était pas *full* évident. Sans compter que mon petit frère redoublait de *gossantitude* et demandait toujours de l'attention.

On a quand même réussi à préparer la bouffe et à décorer la maison de façon à bien recevoir dix personnes, hier soir. Ma mère est arrivée avec sa sœur juste avant le souper, comme si elle comptait parmi les invités. Elle a donné une petite accolade à mon père et m'a serrée très fort dans ses bras.

Moi (en essayant de me dégager) : Ben voyons ! Tu me serres comme si ça faisait quatre ans qu'on ne s'était pas vues !

Ma mère (en me regardant d'un air ému) : Désolée...
C'est juste que je me suis beaucoup ennuyée de ton
frère et toi.

Moi : Si ça peut te consoler, tu m'as aussi beaucoup
manqué. J'ai dû préparer des petits pains aux saucisses
sans connaître la recette en plus de lire trente-sept fois
l'histoire de *Bob l'éponge au pays du père Noël* à Zak
parce qu'il n'arrêtait pas de pleurer.

Ma mère : Désolée de vous avoir laissés comme ça juste
avant Noël. J'avais juste vraiment besoin de passer un
peu de temps avec ma sœur. Mais je constate que vous
vous êtes très bien débrouillés sans moi !

Je suis peut-être paranoïaque, mais je me demande si
elle ne s'est pas chicanée avec mon père avant de partir.
Le soir du réveillon, c'est à peine s'ils se sont adressé la
parole, et quand je suis rentrée de chez Seb tantôt, mon
père écoutait un film de Noël à la télé et ma mère dormait
déjà (tu connais assez bien ma mère pour savoir que
ce n'est pas son genre de se coucher à 22 h, et encore
moins de rater un film quétaine de Noël !).

En tout cas, j'espère que je pourrai profiter un peu
plus du reste de mes vacances ! D'ailleurs, j'ai déjà
hâte au party du 31 ! En attendant, j'ai prévu de passer
du temps en amoureux avec JP (l'avantage d'avoir des
parents distraits, c'est que je peux passer plein de
temps avec lui sans me faire rebattre les oreilles !) et
des journées de filles avec Steph et Laurie !

Et évidemment, je compte aussi passer beaucoup de temps devant mon ordi pour lire tes courriels et suivre ton évolution cubaine ! Lol !

Écris-moi dès que tu en as la chance ! Tu me manques, mon petit rongeur rôti !

Lou xox

P.-S. : JP m'a offert une super bague pour Noël ! (Ne t'en fais pas ; on ne parle pas d'une bague de fiançailles !) Je l'avais vue dans la vitrine de la petite boutique d'artisanat du centre-ville, en me promenant avec lui. Je lui avais souligné que je la trouvais *full* belle, et il s'en est souvenu !

À : Marilou33@mail.com
De : Léa_jaime@mail.com
Date : Samedi 27 décembre, 16 h 43
Objet : J'ai mal

Lou !
Je t'écris de mon lit, et non, ce n'est pas parce qu'il pleut dehors ou parce qu'il y avait une émission spéciale sur One Direction que je ne voulais pas manquer ; disons plutôt que c'est parce que j'ai... des problèmes gastriques.

Je sais : OUACH ! Je t'explique : le 25 au soir, mes parents ont décidé de souper dans un restaurant hyper chic du complexe pour célébrer Noël. C'était de la bouffe française vraiment *fancy* et les noms des plats me tombent sur le cœur juste à y repenser.

Bref, la soirée s'est plutôt bien déroulée. Comme notre méga grosse surprise de Noël était le voyage à Cuba, nous avions décidé avant de partir de piger un nom et d'offrir un petit cadeau d'une valeur maximale de cinquante dollars à cette personne (soit tout l'argent que j'ai réussi à économiser en faisant la vaisselle et en passant l'aspirateur depuis la rentrée). J'ai pigé ma mère et je lui ai offert un beau foulard de chez Gap dont elle n'arrêtait pas de me parler. Vers la fin de notre repas gastronomique, j'ai appris que c'est mon père qui avait eu mon nom. J'avoue que j'ai retenu mon souffle pendant quelques secondes. J'avais peur qu'il m'ait acheté quelque chose de complètement inutile – ou pire ! un chandail quétaine que je devrais porter parce que je me sentirais obligée. J'ai toutefois crié de joie quand j'ai ouvert mon cadeau. Il s'agissait d'un casque d'écoute de chez Urban Outfitters que je voulais depuis cet été. En plus, je sais très bien que ça lui a coûté plus que cinquante dollars. Je me suis empressée de lui sauter au cou pour le remercier.

Moi : Merci, papa d'amour ! C'est le plus beau cadeau que tu pouvais me faire !

Félix : Pfff. T'es tellement chouchou ! Mais au moins, tu pourras écouter ta musique quétaine sans me déranger.

Moi : T'es juste jaloux parce que tu as reçu une chemise.

Félix : Elle est belle, ma chemise. Je suis sûr qu'Ingrid va l'aimer.

Nous avons terminé le repas en riant, et comme mes parents m'ont laissée boire une coupe de champagne, je suis remontée dans ma chambre un peu pompette.

Hier matin, je me suis réveillée avec le sourire aux lèvres, puisque nous avions prévu de faire du cheval en famille sur la plage. Félix et moi sommes d'abord allés rejoindre mes parents au buffet pour le petit-déjeuner, et nous avons été surpris de voir ma mère qui attendait seule à une table.

Moi (en m'assoyant avec une assiette pleine de bouffe) : Il est où, papa ?

Ma mère : Il ne se sent pas très bien, ce matin. Il est resté couché. On va devoir se reprendre pour la balade à cheval.

Moi (d'un air déçu) : Ah, poche !

Félix : C'est ce qui arrive quand un homme d'âge mûr décide de boire une demi-bouteille de mousseux.

Ma mère : Ton père est encore capable d'en prendre, tu sauras ! Son problème n'est pas lié à ça.

Moi : Il a la grippe ?

Ma mère : Non.

Moi : Il a mal à la tête ?

Ma mère : Non.

Félix : Il a la tourista ?

Ma mère (en rougissant) : N... Non !

Félix : Ah-ha ! Bingo ! Papa a la tourista !

Moi : C'est quoi, la tourista ?

Félix : C'est une façon *fancy* de dire qu'il a la gastro.

Moi : Ouach !

J'ai repoussé mes œufs brouillés et j'ai décidé d'aller m'étendre près de la piscine pour profiter du soleil. Il n'y avait pas un seul nuage dans le ciel. J'ai mis mes verres fumés pour admirer les lieux. Des gens s'amusaient avec leurs enfants dans la pataugeoire, tandis que des amoureux se bécotaient sur les balançoires. À ma grande surprise, je n'ai ressenti aucune pointe de jalousie en les observant. Je me sentais déjà comblée de me trouver dans ce coin de paradis. Félix et Ingrid sont venus me rejoindre une vingtaine de minutes plus tard.

Ingrid : *Hey, sweetie !* Tu as l'air *peaceful* !

Moi (les yeux ronds) : *Peaceful* ?

Félix : T'as l'air zen.

Moi : Ouais ! Regarde autour de toi. C'est difficile de ne pas l'être !

Ingrid (en embrassant Félix sur la joue) : Tu as bien raison.

Moi (en m'adressant à Félix) : Et maman ?

Félix : Elle prend soin de papa.

Moi : Beurk !

Félix (en embrassant Ingrid à son tour) : C'est ça, l'amour.

J'ai fait une grimace et j'ai détourné le regard. J'ai alors aperçu Mégane qui accourait vers moi.

Moi (entre mes dents) : Oh, non !

Mégane : Salut, Léa ! Je t'ai cherchée hier, mais je ne t'ai vue nulle part ! Joyeux Noël ! Est-ce que ça te tente de faire des sports nautiques ? N'oublie pas que nous avons gagné un super prix, pis qu'on va avoir ben du *fun* !

Mais pourquoi s'acharne-t-elle à me répéter qu'on va avoir du *fun* ?

Moi : Euh ! Pas aujourd'hui, Mégane. C'est Noël.

Mégane : Pis, ça ?

Moi : Ben... C'est la fête de Jésus. Et je suis sûre qu'il veut qu'on prenne ça relax.

Mégane : ...

Mathias est alors venu s'asseoir à côté de moi. Oui, madame : juste au moment où je m'apprêtais à abandonner complètement mon gibier (remarque numéro 1 : la gastro ne m'empêche pas de me surpasser côté métaphore. Remarque numéro 2 : tu as vraiment raison : je n'ai pas à me battre avec un gars qui ne veut rien savoir de moi.), monsieur décide qu'il s'intéresse à mon existence !

Moi (en rougissant, évidemment) : Oh ! Salut, Mathias.
Mégane (en tendant la main à Mathias) : Salut ! Moi, c'est Mégane. Je suis l'amie de Léa (misère).

Mathias lui a fait son plus beau sourire, et j'ai remarqué que Mégane rougissait. Wow ! Il fait même de l'effet aux filles de dix ans !

Mathias : Léa, tu veux venir te baigner ?
Moi (sans hésiter une seconde) : OK !
Mégane : Et Jésus ?
Moi (en haussant un sourcil) : Hein ?
Mégane : T'as dit que Jésus voulait qu'on prenne ça relax, alors pourquoi tu vas te baigner ?

J'ai soupiré. Je n'avais d'autres choix que de lui dire la vérité si je voulais être tranquille.

Moi (en me tournant vers Mathias) : Vas-y ! Je te rejoins dans deux minutes.

Mathias m'a fait un signe de la tête et il a plongé dans la piscine.

Moi (en chuchotant et en regardant Mégane dans les yeux) : Mégane... Est-ce que tu es *vraiment* mon amie ?

Mégane : Ben oui, c't'affaire !

Moi : OK. Alors, si je te confie un secret, est-ce que tu me jures sur la tête de notre amitié que tu ne le diras à personne ?

Mégane (en prenant un air très sérieux) : Promis, juré, craché.

Moi : La vérité, c'est que j'ai un *kick* sur Mathias, alors je veux en profiter pour passer du temps avec lui, tu comprends ?

Mégane (en écarquillant les yeux) : OH ! Je vois ! C'est vrai qu'il est beau. Mais... est-ce que je peux me baigner avec vous ?

Moi (en faisant un effort pour ne pas perdre patience) : J'aimerais mieux pas. Si tu es là, je n'aurai pas l'occasion de me rapprocher et de lui prouver à quel point je suis la femme parfaite pour lui.

Mégane est restée songeuse quelques instants.

Mégane : Ouais, mais si je suis là, je pourrai lui parler de toi et lui faire comprendre que tu es la fille la plus cool au monde.

OK. J'avoue que sa logique m'a impressionnée. Peut-être que je déteins sur elle ! Mouahaha !

Moi : Hum ! Ce n'est pas faux. Mais est-ce que tu parles anglais ?

Mégane : Oui. Je fréquente des camps anglophones depuis que j'ai cinq ans ! Allez ! Laisse-moi rester !

Moi : Bon, OK. Mais n'oublie pas de louanger mes atouts de femme extraordinaire !

Mégane et moi sommes donc allées rejoindre Mathias dans l'eau. À ma grande surprise, mon « amie » est restée plutôt silencieuse (sûrement parce qu'elle était aussi subjuguée que moi par la beauté de mon dieu allemand), sauf quand venait le temps de vanter ma personnalité.

Mathias ne semblait pas trop embêté par sa présence puisqu'il l'écoutait d'une oreille attentive chaque fois qu'elle ouvrait la bouche et qu'il a même accepté de jouer à chercher des billes au fond de l'eau avec elle. Comme ma peau ratatinait, j'ai décidé de les laisser s'amuser et je suis allée m'étendre sur une chaise longue.

C'est là que tout a commencé. Mon ventre s'est mis à gargouiller de façon étrange. Au début, je croyais que c'était parce que j'avais faim, mais quand je me suis redressée et que j'ai senti une douleur vive à l'estomac, j'ai compris que le problème était beaucoup plus grave.

Mégane et Mathias ont choisi cet instant pour sortir de l'eau.

Mégane : Voulez-vous aller jouer au ballon sur la plage ?
Léa est tellement douée en sports !
Mathias : Ouais, pourquoi pas ! Ça va me faire du bien
de me dégourdir les jambes ! Et j'ai hâte de voir Léa en
action !

Il a dit ça en me donnant un petit coup amical sur
l'épaule, comme si j'étais son grand chum.

Non seulement son geste m'a fait sentir comme si j'étais
aussi sexy qu'un hippopotame, mais il a provoqué chez
moi une vive envie de vomir.

J'ai eu un haut-le-cœur et j'ai souri timidement.

Mégane (en se rapprochant de moi) : Ça va, Léa ? Tu es
un peu... verte.

Je n'ai même pas eu le temps de lui répondre. J'ai mis
une main devant ma bouche, j'ai pris mes jambes à
mon cou et je me suis dirigée vers les toilettes les plus
proches. Pas nécessaire d'en dire plus; tu peux deviner
la suite.

Quand je suis revenue, Mathias et Mégane étaient
encore plantés devant la piscine et m'observaient avec
de grands yeux.

Mathias : *Are you OK ?*

Est-ce que j'ai l'air d'être OK ? Mon visage a un teint jaunâtre et je suis cernée jusqu'aux oreilles !

Moi : Pas vraiment. Je vais aller me coucher.
Mégane : T'es malade ?
Moi : Ouais ! Je crois que mon père et moi avons attrapé un microbe hier soir. C'est peut-être à cause du bœuf bourguignon... ou du plateau de fromages. En tout cas, ça fait mal !

J'ai ramassé mes affaires et je me suis traîné les pieds jusqu'à ma chambre. Sans vouloir entrer dans les détails, je crois qu'en vingt-quatre heures, j'ai passé plus de temps dans la salle de bain que dans mon lit, et je suis vraiment tannée de souffrir. Ce matin, Félix a déserté la chambre en clamant qu'il refusait que je le contamine et que je ruine ses vacances et sa relation avec Ingrid. Une chance que je peux compter sur sa solidarité fraternelle !

Heureusement que j'ai mes nouveaux écouteurs pour entendre ma musique et que le câble cubain diffuse des téléromans quétaines en boucle, car je me sens un peu seule. Ma mère m'a rendu visite tout à l'heure. Elle m'a appris que mon père était dans un état encore plus lamentable que le mien. Ce qui ne présage rien de bon pour mon avenir rapproché. Elle m'a aussi promis de faire des allers-retours entre nos deux chambres pour s'assurer que nous restions tous les deux bien hydratés.

Oh ! Et comble de malheur, Mégane ne semble pas effrayée par le risque de contagion, puisqu'elle est déjà passée quatre fois à ma chambre depuis hier pour m'offrir de jouer aux cartes, aux billes, au Monopoly et à Angry Birds. Je lui ai fait comprendre que, comme le trajet entre la salle de bain et mon lit représentait le seul effort que j'étais capable de faire en ce moment, c'était mieux de remettre ça à plus tard.

Bon, je te laisse... L'écran me donne mal au cœur.

Léa (qui est encore verte, mais qui t'aime autant !)

Dimanche 28 décembre

13 h 43

Jeanne (en ligne): Est-ce que j'hallucine? Léa Olivier est en ligne???

13 h 45

Léa (en ligne): Salut! Je sais: je suis une mauvaise amie et je suis désolée de ne pas avoir répondu à ton courriel avant! Mais je te jure que j'ai une bonne raison, et que je m'apprêtais à le faire à l'instant!

13 h 46

Jeanne (en ligne): C'est correct! Je suis surtout soulagée de constater que tu es encore vivante!

13 h 46

Léa (en ligne): «Vivante», c'est un grand mot...

13 h 46

Jeanne (en ligne): Comment ça? Que se passe-t-il?

Léa (en ligne): Je suis malade. ☹ C'est un virus local que mon père et moi avons attrapé.

Jeanne (en ligne): Une tourista ?

Léa (en ligne): Oui... et je suis incapable de sortir de mon lit. Ça fait deux jours que je ne mange rien. ☹

Jeanne (en ligne): Pauvre toi ! Est-ce que Félix te tient compagnie, au moins ?

Léa (en ligne): Non. Il a plutôt décidé de m'abandonner ! Comme ma mère et lui pètent le feu, ils ont décidé de faire chambre commune et m'ont refilé l'autre grand malade.

Jeanne (en ligne): Lol! Donc tu cohabites avec ton père?

13 h 50

Léa (en ligne): Oui, depuis hier! Et même s'il entretient une passion éternelle pour les reportages du canal Historia, je trouve ça cool de partager mon quotidien avec quelqu'un! Je commençais vraiment à déprimer toute seule dans ma chambre.

13 h 51

Jeanne (en ligne): C'est *cute*! Ça te permet de passer du temps avec lui!

13 h 51

Léa (en ligne): Ouais... Disons que j'aurais préféré tisser des liens avec lui sans devoir me battre pour l'utilisation des toilettes, mais j'essaie de rester positive! ☺

13 h 52

Jeanne (en ligne): Et sinon, le voyage se déroule bien? Y a-t-il un beau G.O. qui a retenu ton attention?

Léa (en ligne): Pas un G.O.; un autre touriste qui vient d'Allemagne. C'est le frère de la «blonde» de Félix.

Jeanne (en ligne): Quoi? Félix s'est déjà fait une blonde???

Léa (en ligne): Évidemment! Bref, il est super beau... genre tellement beau que j'en perds tous mes moyens!

Jeanne (en ligne): OH! Et est-ce que tu entrevois un amour de vacances avant ton départ?

Léa (en ligne): Pour ça, il faudrait que je sorte de ma chambre... et qu'il s'intéresse à moi. Je ne crois pas que je sois son genre (en tout cas, si je le suis, il a une façon drôlement nonchalante et distante de me le montrer!) Et toi? Quoi de neuf? Comment s'est passé ton voyage de ski?

13 h 55

Jeanne (en ligne): C'était débile! J'ai pris des leçons de *snowboard* avec un gars vraiment *cute*!

13 h 56

Léa (en ligne): Et tu as attendu tout ce temps-là pour m'en parler? Dis-moi tout!

13 h 56

Jeanne (en ligne): Il s'appelle Xavier. Il a notre âge et il va au Collège Jacques-Cartier dans le programme sport-études! Il est hyper sportif, drôle, attentionné... Un genre d'Alex, mais plus sexy (à mes yeux).

13 h 57

Léa (en ligne): Ben là! Marie-le! Qu'est-ce que t'attends?

13 h 58

Jeanne (en ligne): J'attends qu'il casse avec sa blonde.

13 h 58

Léa (en ligne): Oh. ☹

Jeanne (en ligne): Ouais! Les premiers jours, je ne savais pas qu'il sortait avec quelqu'un, alors je me permettais même de flirter ouvertement avec lui. Puis un après-midi, alors qu'on prenait un chocolat chaud après mon entraînement, une petite brune vêtue de l'ensemble de ski le plus à la mode de la place est arrivée derrière lui et lui a plaqué un baiser sur la bouche en lui susurrant un «Salut, chéri!» Ça m'a cloué le bec.

14 h 01

Léa (en ligne): Ben là! Il aurait pu faire mention d'elle avant! Il n'est pas aveugle; il devait bien se rendre compte que tu flirtais avec lui! Ce n'est pas *full* honnête, son affaire!

14 h 01

Jeanne (en ligne): Je sais! Après ça, j'ai essayé de lui soutirer des informations sur sa relation, mais il est demeuré super vague.

14 h 02

Léa (en ligne): Et vous êtes restés en contact?

Jeanne (en ligne): Ouais, par Facebook. Ce qui m'a permis de l'espionner et de me rendre compte que sa blonde s'appelle «Fraise des champs» sur Facebook (pourquoi ne pas mettre son vrai nom?) et qu'elle le *love* chaque jour sur son mur! Mais ça n'empêche pas Xavier de m'écrire en privé pour dire qu'il pense à moi... C'est pour ça que je ne veux rien savoir des gars! Ils sont trop... compliqués!

Léa (en ligne): Ou malhonnêtes, plutôt! Et ta journée avec Alex? Comment ça s'est passé?

Jeanne (en ligne): Super bien! On a joué à la console et on a regardé des vidéos sur YouTube. Il n'y avait aucun malaise entre nous. Ça confirme qu'on peut officiellement redevenir amis!

Léa (en ligne): Yé! Voilà au moins un garçon avec qui il n'y a aucune ambiguïté! ;) Et Katherine est revenue de Gatineau?

14 h 06

Jeanne (en ligne): Non. Elle revient juste le 2. Je suis officiellement orpheline d'amies!

14 h 06

Léa (en ligne): Je te jure que je donnerais n'importe quoi pour que tu sois téléportée dans ma chambre et qu'on se tienne mutuellement compagnie!

14 h 07

Jeanne (en ligne): Moi aussi! Et dis-moi, tu as bien lu le courriel qu'on t'a envoyé il y a quelques jours?

14 h 08

Léa (en ligne): Oui!

14 h 08

Jeanne (en ligne): Est-ce que le récit de Katherine... t'a fait ressentir quelque chose?

14 h 09

Léa (en ligne): Hum! En gros, tu veux savoir si le fait d'apprendre qu'Olivier pensait encore à moi m'avait rendue heureuse, nostalgique, euphorique ou toutes ces réponses?

14 h 09

Jeanne (en ligne): Oui! ☺

14 h 10

Léa (en ligne): Je sais que ça paraît bizarre, mais je t'avoue que je n'y ai même pas réfléchi. C'est sûr que c'est flatteur d'apprendre qu'il ne m'a pas oubliée, mais on dirait que mon cerveau est en pause et qu'il n'arrive pas à analyser la situation. Avant de partir, j'avais décrété que le cas d'Olivier était classé. Ça m'avait plutôt soulagée de prendre cette décision... Alors je ne sais pas trop si ça me tente de replonger là-dedans, ni même d'y penser pour l'instant.

14 h 11

Jeanne (en ligne): Je comprends... Et c'est tout à fait correct! Dans un autre ordre d'idées, j'ai une bonne et une mauvaise nouvelle pour toi.

14 h 12

Léa (en ligne): Hum! Commence par la bonne!

14 h 12

Jeanne (en ligne): Le 5 janvier, c'est l'anniversaire d'Alex. Éloi prépare une petite fête chez lui le samedi précédent pour célébrer l'événement!

14 h 13

Léa (en ligne): Cool! Je serai revenue à temps pour y aller. Et quelle est la mauvaise nouvelle? Les nunuches sont invitées?

14 h 13

Jeanne (en ligne): Bingo! Elles l'ont appris au party de Lydia et elles ont déjà confirmé leur présence sur Facebook.

14 h 13

Léa (en ligne): Beurk! J'ai bien fait de boycotter Facebook depuis que je suis en vacances. Ça m'aurait encore plus donné la nausée. Mais bon, je vais me concentrer sur le positif: je vous verrai dès mon retour, et je suis super contente de célébrer l'anniversaire d'Alex avec vous! ☺

14 h 14

Jeanne (en ligne): Cool! Hey, faut déjà que je file: je vais rendre visite à ma grand-mère. Mais donne-moi des nouvelles bientôt et rétablis-toi au plus vite! xx

14 h 14

Léa (en ligne): Promis! À bientôt! xox

Le Blogue de Manu

Inscris un titre : Comment m'y prendre ?

Écris ton problème : Coucou, Manu ! C'est encore moi, Léa ! J'espère que tu ne me trouves pas trop fatigante avec mes problèmes de gars, mais j'ai encore besoin d'un conseil amoureux. Je suis présentement en vacances à Varadero, et il y a un garçon qui me plaît beaucoup, mais je ne sens pas trop d'intérêt de sa part. Comme mon frère fréquente sa sœur, on a eu l'occasion de discuter et de passer un peu de temps ensemble, mais j'aimerais vraiment qu'il se passe quelque chose de concret avant la fin de mon séjour. As-tu des trucs pour foncer sans que j'aie l'air d'une folle ? (Crois-moi, j'ai le don de me ridiculiser sans le vouloir !)

J'attends tes conseils !

Léa xox

Manu répond à deux questions par semaine. Tu seras peut-être choisie...

Chapitre 3 :
Bonne année,
grand nez !

À : Marilou33@mail.com
De : Léa_jaime@mail.com
Date : Mardi 30 décembre, 12 h 25
Objet : Fin de ma période végétale !

Coucou !
Lou ! Ça va beaucoup mieux depuis hier. Pour la première fois en plusieurs jours, j'ai pu manger autre chose qu'un bouillon de poulet. Je te jure que si tu me voyais en ce moment, tu n'aurais pas aussi peur qu'il y a deux jours sur Skype ! Lol ! Tu aurais dû voir ta face quand tu m'as aperçue à l'écran. C'était un mélange d'inquiétude, de dégoût et de pitié. (Je te comprends, je me faisais peur moi-même.)

Hier après-midi, j'ai même eu la force d'aller nager avec les dauphins. C'était incroyable ! Comme il n'y avait plus de place pour la randonnée équestre, ma mère a proposé qu'on s'inscrive à cette activité. Je te jure que j'ai passé l'un des moments les plus fous de mon voyage ! Au début, quand je suis entrée dans le bassin, j'étais un peu craintive, mais le dresseur m'a rassurée, et quand Milo (le dauphin que j'ai rencontré) m'a embrassée sur la joue, je me suis sentie fondre ! Il était adorable. L'entraîneur lui faisait faire plein de trucs hilarants.

Ça m'a fait du bien de sortir et de profiter du beau temps. La bonne nouvelle, c'est que cette mésaventure gastrique m'aura permis de passer de super bons moments avec mon père. Comme tu le sais, je ne suis pas hyper proche de lui, mais je t'assure qu'un séjour de quarante-huit heures dans une chambre en isolation peut faire des miracles. On a eu l'occasion de discuter de tout plein de choses (sauf de ma vie amoureuse... ce qui fait vraiment mon affaire !). Il m'a demandé comment se déroulait ma deuxième année à Montréal. Je lui ai raconté que les choses allaient beaucoup mieux depuis que j'avais des amis et que je m'étais améliorée en anglais.

On a discuté de politique, d'environnement et de musique. Hier soir, je lui ai même fait écouter le disque de One Direction pour qu'il comprenne à quel point leurs chansons étaient bonnes. Il a admis que ce n'était « pas si mal », ce qui est un pas énorme pour mon père ! Après ça, il s'est lancé dans une longue tirade à propos de l'héritage laissé par les Rolling Stones et les Beatles, mais j'ai fini par le faire taire en syntonisant un reportage télé sur la guerre du Viêtnam. Et crois-le ou non, j'ai trouvé ça plutôt intéressant ! Oui, madame ! Les journées avec mon père m'ont rendue *nerd* et intello !

Ce matin, nous avons décidé de descendre au buffet pour déjeuner. Nous étions en train de discuter du comportement des chimpanzés en Afrique (nous avions regardé un reportage là-dessus hier avant l'excursion avec les dauphins) lorsque ma mère et Félix sont arrivés et nous ont dévisagés sans rien dire.

Félix (en me regardant) : T'es qui, toi ? Qu'est-ce que tu as fait de ma sœur ?

Moi : Pfff. Tu sauras que je suis capable d'entretenir des conversations intelligentes, moi aussi.

Félix (en roulant les yeux) : *Yeah, right !* Papa, qu'est-ce que tu lui as fait ?

Mon père (en souriant d'un air fier) : J'ai passé du temps de qualité avec ma puce ! Et vous savez quoi ? Je suis presque content d'avoir attrapé la gastro !

Je l'ai regardé en souriant. J'étais presque d'accord avec lui.

Ma mère (en me touchant le front) : Tu as l'air mieux qu'hier, ma chérie. Comment te sens-tu ?

Moi : Mon estomac se porte beaucoup mieux. Ce qui veut dire que je devrais être en pleine forme demain soir ! Il est hors de question que je manque le party du jour de l'An !

Ma mère m'a souri et elle est partie se servir un café avec mon père. J'en ai profité pour bombarder Félix de questions.

Moi (avec les yeux ronds) : Alors, qu'est-ce que j'ai raté ?
Lui : Mégane te cherche partout.

Moi (en soupirant) : OK. Et à part ça ?

Lui : Ingrid part le 2, et je veux passer le plus de temps possible avec elle.

Moi (en essayant d'être subtile) : Ah ! Et son frère ne se sent pas trop délaissé ?

Lui (en regardant en direction de la piscine) : Il a l'air de s'en sortir.

J'ai suivi son regard. J'ai aperçu Mathias qui rigolait avec trois blondes à l'extérieur. Je fulminais.

Moi : OK, c'est officiel : j'abandonne.

Félix (d'un air sérieux) : Écoute, la sœur, il te reste trois jours pour agir, alors ne baisse pas les bras. Tu n'as absolument rien à perdre, parce qu'après ça, il repartira dans son pays.

Moi : Ouais, mais c'est à peine s'il réalise que j'existe.

Félix : Tu n'as qu'à le lui rappeler. Vas-y avec la totale !

Moi : Euh ! Ça veut dire quoi, « la totale » ?

Félix : Au lieu de lui sourire de loin et de rougir comme une tomate dès que tu le vois, parle-lui, passe du temps avec lui, propose-lui de faire une balade !

Moi : Je l'ai fait l'autre fois, mais monsieur était trop « fatigué ».

Félix : Ben, réessaie-toi ! C'est quoi le pire qui puisse arriver ?

Moi : Que je meure de honte ?

Félix : Mais non. Au pire, tu tournes la page et tu passes au suivant.

Moi : Wow ! C'est ton dicton officiel, ça ?

Félix (en me souriant d'un air fier) : Yep ! Et ça marche à tous coups !

J'ai alors eu une idée de génie.

Moi (en me mordant la lèvre et en le suppliant du regard) : Fé-liiiix ?

Félix (en me regardant d'un air suspicieux) : Qu'est-ce que tu veux ?

Moi : Pourrais-tu demander à Ingrid ce qu'elle en pense, s'il te plaît ? C'est sa sœur, après tout ! Elle doit bien savoir si je l'intéresse.

Félix : Léa ! J'ai autre chose à faire avec elle que d'essayer de te *matcher* avec son frère.

Moi (en joignant les mains) : STP ! STP ! STP ! Dis-toi que ce sera mon cadeau du Nouvel An !

Félix (en soupirant) : Je vais essayer, mais pas aujourd'hui. Elle passe la journée en excursion avec ses parents, et je ne la revois pas avant demain matin.

Moi (en souriant) : Merci !

Et toi ? Comment ça se passe à la maison ? Est-ce que tes parents ont l'air de meilleure humeur ? As-tu *full* hâte au party de demain soir ?

Je dois y aller, car mes parents m'attendent dans le lobby. Réal et Guylaine nous ont réservé des chaises sur la plage, et mes parents tiennent à ce que je les accompagne question de « distraire Mégane ». Si tu veux mon avis, je crois qu'ils se disent que quitte à endurer les Câlinours, aussi bien le faire en famille. Au moins, il fait beau et chaud ! ☺

Léa xox

À : Katherinepoupoune@mail.com, Jeanneditoui@mail.com
De : Léa_jaime@mail.com
Date : Mercredi 31 décembre, 17 h 23
Objet : BONNE ANNÉE !

Salut les filles !
Je vous écris avant d'aller me pitouner pour la soirée ! J'ai enfin un teint moins verdâtre et je me sens vraiment en pleine forme pour ce soir !

Je sais que la gang est un peu séparée cette année pour célébrer l'arrivée du Nouvel An, mais je suis convaincue que ça ne nous empêchera pas de nous amuser. Il faut aussi se dire que dans quatre jours, nous serons de nouveau réunis chez Alex. Et avec les nunuches en extra ! Lol !

Sans blague, je tenais à vous souhaiter une super belle année. Je ne vous le dis pas assez souvent, mais je ne sais pas ce que je ferais sans vous deux.

Je vous promets que la prochaine année sera encore plus géniale que la précédente. En plus, on commence toutes du bon pied en étant célibataires et en se serrant les coudes ! Qui a besoin de gars dans sa vie quand on peut compter sur nos *bests* ? Pas moi, en tout cas ! C'est fini, ce temps-là ! Nouvelle année, nouvelle Léa Olivier !

Je vous embrasse très fort et j'ai hâte de vous voir !

Léa xx

P.-S. Jeanne, je tenais aussi à te remercier personnellement pour toutes ces heures que tu as passées à essayer de me faire parler un peu mieux anglais. Depuis que je suis ici, je vois enfin que tes efforts ont porté leurs fruits. On est encore loin du bilinguisme, mais je me débrouille pas si pire ! Alors MERCI d'avoir été patiente et d'être la meilleure prof du monde ! ☺

Mercredi 31 décembre

18 h 47

Léa (en ligne): Lou? Dis-moi que tu n'es pas encore partie chez Laurie! Il me faut absolument ton avis!

18 h 48

Marilou (en ligne): Non! Je suis là! Qu'est-ce qui se passe?

18 h 48

Léa (en ligne): Une crise vestimentaire, évidemment! Mes quatre jours de jeûne me donnent un teint aussi resplendissant qu'un fantôme à l'Halloween! Aucune robe ne semble faire l'affaire!

18 h 49

Marilou (en ligne): Hum! Alors, vas-y avec une jupe et un top!

18 h 49

Léa (en ligne): Ma jupe noire un peu taille haute et le top vert que tu aimes?

Marilou (en ligne): BINGO! Il fait ressortir tes yeux! Mathias ne pourra pas te résister!

Léa (en ligne): Bof... Je ne compterais pas trop là-dessus.

Marilou (en ligne): Pas de développement depuis hier?

Léa (en ligne): Rien à part des signes de la main et des tentatives maladroites de ma part pour engager la conversation avec lui. J'attends des nouvelles de Félix. Il était censé en parler à Ingrid aujourd'hui, mais je n'ai pas encore eu la chance de le bombarder de questions.

Marilou (en ligne): Dis-toi qu'il part dans deux jours et que Félix a raison: tu n'as plus rien à perdre!

18 h 52

Léa (en ligne): Ouais, je vais essayer de foncer! Et toi? Excitée à propos de ce soir?

18 h 53

Marilou (en ligne): Mets-en! J'étais en train de finir de préparer mon sac pour la nuit. C'est aussi très cool de dormir chez Laurie et de sortir un peu de la maison!

18 h 54

Léa (en ligne): Comment ça se passe chez toi? Est-ce que tes parents sont moins bizarres?

18 h 55

Marilou (en ligne): En fait, on dirait qu'ils ont passé la semaine à organiser individuellement des activités avec Zak et moi pour éviter de se voir! C'est vraiment bizarre. Mais ce soir, ils ont une fête chez des amis. J'ai espoir qu'un peu de champagne et un baiser à minuit règlent leurs différends.

18 h 55

Léa (en ligne): Je suis certaine que oui! ☺

18 h 56

Marilou (en ligne): Bon, faut que je file, car j'ai promis à Laurie d'arriver tôt pour l'aider à tout préparer!

18 h 57

Léa (en ligne): Super! Tu portes bien ta robe argent?

18 h 57

Marilou (en ligne): Oui!

18 h 58

Léa (en ligne): Wow! Tu vas être la reine de la soirée! Embrasse tout le monde pour moi, OK?

18 h 58

Marilou (en ligne): Même Sarah Beaupré?

18 h 58

Léa (en ligne): Beurk! Non, mais tu peux lui faire une jambette si ça adonne! ;)

18 h 59

Marilou (en ligne): Je te promets d'essayer! Bonne soirée, chérie! J'espère que tu réussiras à séduire ton dieu allemand!

18 h 59

Léa (en ligne): Bonne soirée à toi aussi, Lou! Et bonne année! Je t'aime!

18 h 59

Marilou (en ligne): JTM aussi! xox

À : Marilou33@mail.com
De : Léa_jaime@mail.com
Date : Jeudi 1er janvier, 11 h 25
Objet : La nouvelle année, ça ne change pas le monde,
sauf que...

Salut Lou !
Tout d'abord, commençons par l'essentiel : BONNE
ANNÉE ! J'espère que tu t'es bien amusée hier soir. En
tout cas, j'ai hâte que tu me racontes.

De mon côté, après avoir discuté avec toi sur Skype, je
suis allée rejoindre mes parents au restaurant.

Moi : Et Félix ?
Mon père : Il nous a dit qu'il serait un peu en retard. Je
propose donc de prendre un petit apéro en attendant
son arrivée.

Après avoir commandé une bouteille de mousseux,
mes parents et moi avons trinqué à ce super voyage et
à l'arrivée de la nouvelle année qui nous réservait sans
doute de belles surprises.

Ma mère : Je veux aussi trinquer à toi, ma chérie.
Je trouve que tu vieillis bien, et que tu as beaucoup
changé depuis que nous sommes arrivés à Montréal.
Moi (en rougissant) : Ben là... Pas tant que ça !

Mon père : Ta mère a raison ! Je trouve ça le *fun* qu'on puisse communiquer avec toi sans que tu te fâches. Je connais bien des parents qui n'ont pas cette chance. Et je crois que l'année difficile que tu as vécue à la suite du déménagement t'a fait évoluer et grandir dans le bon sens.

J'ai remarqué que ses yeux se remplissaient de larmes, ce qui a automatiquement provoqué la même réaction chez moi. Merci, chers parents, de m'avoir transmis votre gène d'hypersensibilité qui me donne l'air d'une folle en public !

Heureusement pour nous, Félix est arrivé à cet instant et a interrompu notre moment d'intensité avant que tout le monde éclate en sanglots.

Félix (en s'assoyant) : Pourquoi vous avez cet air-là ?
Mon père (en s'essuyant les yeux) : Parce que nous sommes fiers de notre puce.
Félix (en me dévisageant) : Pfff. Chouchou !
Ma mère (en prenant la main de mon frère) : Et nous sommes aussi très fiers de toi, mon grand. Tu es tellement fort et tu t'adaptes mieux que quiconque aux changements.

Félix a dévisagé ma mère et il a souri avec un air mal à l'aise.

Félix : Euh ! Papa, tu veux bien me servir un verre de champagne, s'il te plaît ? Je pense que ça va être nécessaire si vous continuez à être sentimentaux comme ça.

Moi : Pfff. Tu fais ton *tough*, mais au fond, je suis sûre que les mots de maman arrivent à se frayer un chemin jusqu'à ton cœur de pierre.

Mes parents ont éclaté de rire.

L'atmosphère est demeurée tout aussi joyeuse jusqu'à la fin du souper. Papa et moi débordions d'énergie après nos quatre-vingt-seize heures de sommeil, et pour une fois, les bulles n'altéraient pas trop mon jugement et se contentaient de me donner un teint plus rosé.

Après le repas, nous nous sommes rendus jusqu'à la tente qui avait été installée sur la plage pour célébrer l'arrivée de la nouvelle année. J'étais contente que la fête se déroule à l'extérieur plutôt que dans le minuscule local de l'hôtel qui fait office de discothèque. En plus, personne ne me cassait les oreilles parce que je n'avais pas encore dix-huit ans !

J'ai aperçu Mathias qui jasait avec ses parents un peu plus loin. Je me suis tournée vers Félix pour obtenir des infos, mais il avait déjà disparu avec Ingrid. Je me suis dit qu'il fallait que je suive vos conseils et que je fonce en me répétant que je n'avais plus rien à perdre.

J'ai respiré un bon coup et je me suis avancée vers lui. Je me contente encore une fois de te retranscrire notre conversation en français, parce que ça me demanderait trop d'efforts de le faire en anglais !

Moi (en lui tapotant l'épaule) : Salut !
Lui (en souriant) : Hey ! Salut, Léa ! Je te présente mes parents, nom-allemand-incompréhensible-numéro-un et nom-allemand-incompréhensible-numéro-deux.

J'ai serré leurs mains d'un air confiant. S'il me présentait à ses parents, c'était bon signe, non ?

Lui : Alors, tu vas mieux, on dirait ! Tu es resplendissante, ce soir !
Moi (en rougissant) : Merci. Le repos m'a fait du bien. Et toi, tu as passé de belles vacances ?
Lui : Oui ! J'ai eu le temps de lire, de dormir et de rencontrer tout plein de gens fascinants, comme ton frère et toi.

Mathias m'a ensuite proposé d'aller nous asseoir sur les balançoires devant la mer. J'ai enlevé mes sandales et j'ai couru sur le sable. Il faisait super beau et je me sentais vraiment bien.

Nous nous sommes installés côte à côte sur les balançoires et il m'a demandé si j'étais née à Montréal.

Moi : Non. J'ai déménagé l'année dernière. Je viens d'une tout petite ville à plusieurs heures de là.

Lui : Wow ! Tu as tout dû laisser derrière toi, alors ?

Moi : Ouais ! Mon chum, ma meilleure amie, mon école, mes copains... Ça n'a pas été évident au début.

Les deux verres de bulles que j'avais bus au souper me déliaient la langue et je parlais anglais comme si j'avais été bilingue toute ma vie !

Lui : Je te comprends. Quand j'ai dû quitter la maison pour aller à l'université, j'ai eu à faire la même chose. C'est difficile de dire adieu à une partie de sa vie, mais je crois que c'est aussi génial de commencer une autre étape.

J'ai levé mon verre d'eau et je lui ai souri.

Moi : Je suis complètement d'accord avec toi.

Nous avons entendu un compte à rebours provenant de la tente, suivi des cris euphoriques de la foule. La nouvelle année était arrivée. Des feux d'artifice se sont aussitôt mis à éclater au-dessus de nous, donnant des teintes multicolores au ciel étoilé.

Moi (en levant les yeux) : Wow !

Mathias s'est levé de sa balançoire et s'est avancé vers moi pour me faire une accolade. Je me suis levée à mon tour pour lui faire face.

Lui (en tendant les bras) : Bonne année, Léa ! Je suis content de vivre ce moment en ta présence.

J'ai pris une grande inspiration et je me suis avancée vers lui. J'étais contente d'être avec Mathias, et je savais que c'était le moment idéal pour l'embrasser. J'ai approché mon visage du sien et j'ai tendu les lèvres vers les siennes. J'ai d'abord constaté son air surpris, puis j'ai remarqué qu'il se détournait pour me tendre sa joue. J'ai fini par lui donner un baiser chaste et maladroit près de l'oreille. J'étais morte de honte. Je venais officiellement de me faire rejeter.

Moi (en reculant d'un pas) : Oh ! Je... Je suis désolée. Je ne voulais pas... Je n'ai pas compris que... Désolée.

J'ai bafouillé tout ça en quelques fractions de seconde et j'ai tourné les talons pour regagner la tente. Moi qui voulais commencer l'année du bon pied, on peut dire que c'était mal parti. Tout ce que je demandais, c'était de me changer les idées au plus vite et d'oublier à jamais ce moment humiliant.

J'ai jeté un regard autour de moi. Tous les amoureux étaient enlacés pour célébrer la nouvelle année. J'avais le cœur gros.

Mes parents sont arrivés à cet instant et m'ont serrée tous les deux très fort dans leurs bras.

Mon père : Bonne année, ma puce. Je te souhaite tout le bonheur du monde. Je t'aime !
Ma mère : Je t'aime, ma chérie ! Et je suis sûre que la nouvelle année t'apportera plein de belles surprises.

Leurs bons mots m'ont évidemment rendue encore plus émotive, et je me suis cachée pour essuyer mes larmes.

Ma mère (en me prenant par les épaules) : Qu'est-ce qui se passe, ma puce ? Pourquoi tu pleures ?
Moi (en souriant et en pleurant) : Je sais pas. Un mélange d'émotions. Ce doit être les bulles qui me montent à la tête !

Mon père a aussitôt éclaté en sanglots. Il est vraiment trop sensible.

Ma mère : Bon, ça suffit, vous deux ! Je crois que vous devriez dire adieu aux bulles pour ce soir ! Vous avez tellement peu mangé ces derniers jours que ça risque de vous rendre malades.

Mon père (en souriant et en séchant ses larmes) : Mais non ! Ça nous rend heureux. Et c'est pour ça qu'on pleure. Ce sont des larmes de joie !

Félix est aussitôt venu nous rejoindre.

Félix (en me faisant une accolade) : Bonne année, petite sœur !
Moi : À toi aussi.
Félix (en me dévisageant) : T'as pleuré ?
Moi : Ouais ! C'est papa et ses mots doux qui me rendent moumoune.
Félix : Hum ! Et Mathias ?

J'ai senti mes yeux qui piquaient à nouveau. J'ai donc détourné le regard et je me suis concentrée pour ne pas pleurer devant lui. Félix m'a alors prise par les épaules et m'a entraînée un peu plus loin.

Félix : Qu'est-ce qui se passe ?

J'ai pris une profonde inspiration et je me suis lancée dans une longue tirade.

Moi : Il se passe que j'ai suivi ton conseil et que j'ai foncé avec Mathias. On a discuté pendant un moment, et comme j'ai cru sentir un intérêt de sa part, je me suis lancée et j'ai essayé de l'embrasser aux douze coups de minuit. Mais tu sais quoi ? Je t'annonce qu'il n'est

officiellement pas intéressé puisqu'il m'a carrément rejetée. Je te confirme que ce n'est pas un sentiment *full* le *fun* à vivre. (J'ai levé la main pour m'assurer qu'il ne m'interrompe pas.) OH! Je sais ce que tu vas me dire : «Ne t'en fais pas, Léa. Au moins, tu en as le cœur net, et tu n'auras pas de regret puisque tu as vraiment tout essayé.» Le problème, Félix, c'est que j'aimerais que cet acte de bravoure de ma part ne me fasse pas sentir aussi dégueu! C'est bien beau foncer et prendre des risques, mais à quoi ça mène si on se sent pire après coup? C'est quoi, l'affaire? Pourquoi je repousse toujours les gars? C'est quoi mon problème? Hein, Félix? C'est quoi?
Félix (d'un ton ferme et sérieux) : Arrête, Léa!

Je me suis tue et je l'ai dévisagé. C'est rare que mon frère me parle de cette façon.

Moi : Ben, là! Tu ne vas pas m'engueuler en plus?
Félix : Non... C'est juste que la réaction de Mathias n'a rien à voir avec toi. J'en ai parlé à Ingrid aujourd'hui, et j'ai appris qu'il est gai. C'est pour ça qu'il n'a pas voulu t'embrasser. Ce n'est pas parce que tu es repoussante ni parce que tu pues, Léa; c'est simplement parce qu'il n'est pas attiré par les filles.

Je l'ai regardé sans rien dire. J'étais sous le choc. J'avais envisagé tout plein de scénarios pour expliquer le rejet de Mathias, mais je n'avais jamais soupçonné qu'il était homosexuel. Encore une fois, j'avais tout ramené à ma petite personne. J'avais fait une fixation sur lui en songeant à mes envies et à mon bonheur sans même penser trois secondes à ce qu'il pouvait ressentir ou même à ce qui le définissait.

Félix (d'un ton plus doux) : Ça va ? T'as l'air bizarre.
Moi : Ouais, ouais ! J'ai juste... un peu honte. Je ne savais pas. Je me sens super mal... Je vais aller le voir pour m'expliquer avec lui, OK ?

J'ai balayé la tente du regard sans apercevoir Mathias. Je suis donc retournée aux balançoires. À ma grande surprise, il s'y trouvait encore. Il s'est levé dès qu'il m'a vue approcher.

Mathias (en se confondant en excuses) : Léa, je suis vraiment désolé. Je n'ai pas voulu te faire de la peine... C'est juste que...
Moi (en l'interrompant et en lui prenant la main) : C'est correct. Tu n'as pas à t'excuser. C'est moi qui ai réagi comme une folle sans même te demander d'explications. J'aurais dû chercher à mieux te connaître cette semaine au lieu de penser juste à moi. J'aurais compris bien des choses...
Mathias : Quel genre de choses ?
Moi : Ben... des choses à propos de toi.
Mathias : Oh ! Alors... tu sais ?
Moi : Oui. Félix me l'a dit.

Mathias : OK. Je suis soulagé que tu le saches.

On est resté quelques secondes sans rien dire.

Moi : Je me sens vraiment cruche.
Mathias (en souriant) : T'es tout sauf cruche ! Et je suis
sûr que si j'étais attiré par les filles, j'aurais essayé de
te charmer cette semaine !
Moi : Ah, ouais ? Tu aurais voulu charmer une fille
plus jeune que toi qui se plante dans la mer, qui a une
troisième fesse, qui a peur de l'eau, qui fait des danses
débiles devant tous les clients de l'hôtel, qui parle
anglais seulement quand elle boit du champagne et qui
passe quatre jours enfermée dans sa chambre parce
qu'elle ne résiste pas aux microbes cubains ?

Mathias a éclaté de rire.

Mathias : Non. J'aurais essayé de charmer une jeune
fille un peu maladroite qui manque trop de confiance
en elle pour réaliser à quel point elle est drôle et
attachante.

J'ai souri. Même s'il me connaissait à peine, il s'était
vite rendu compte que je n'étais pas un modèle de
confiance incarnée. Nous nous sommes ensuite rassis
sur les balançoires et je me suis laissé bercer par le
vent. J'ai réfléchi et je me suis tournée vers lui.

Moi : Je peux te poser une question ?

Lui : Ce que tu veux.

Moi : Ça fait longtemps... que tu sais ?

Lui : Je pense que d'une certaine façon, je l'ai toujours su, mais que je n'ai pas voulu l'assumer pendant plusieurs années. Je ne voulais pas blesser mes parents ni affronter tout ce que ça impliquait.

Moi : Et quand l'as-tu avoué aux autres ?

Lui : Quand il m'est devenu impossible de me le cacher à moi-même. C'était il y a deux ans. J'avais une blonde depuis six mois. Je l'aimais beaucoup, mais il y avait quelque chose qui clochait. Elle m'a tiré les vers du nez et j'ai décidé d'être honnête avec elle. Pour la première fois de ma vie, j'ai admis que j'étais attiré par les garçons. À ma grande surprise, elle a super bien réagi. Aujourd'hui, elle est ma meilleure amie ! D'ailleurs, c'est elle qui m'a donné le courage d'en parler à ma sœur, puis à mes parents.

Moi : Et comment ont-ils réagi ?

Lui : C'est sûr que ça leur a fait tout un choc, mais j'avoue que je suis chanceux, parce qu'ils veulent avant tout que je sois heureux.

Moi : C'est cool.

Lui : Ouais !

Moi : C'est drôle, mais je me sens beaucoup plus à l'aise de discuter avec toi maintenant que je sais... qu'il ne peut rien se passer entre nous.

Lui : Ouais, c'est généralement l'effet que mon aveu a sur les filles.

Moi : On dirait même que je parle mieux anglais !

Lui : Tu parles VRAIMENT mieux anglais.

Moi : Ce doit être la honte qui m'aide à mieux articuler.

Il a ri.

Moi : Je suis contente d'en apprendre un peu plus à propos de toi, Mathias, mais je trouve ça dommage d'avoir attendu jusqu'à la toute fin de ton séjour pour mieux te connaître.

Lui : Mais ce n'est pas fini ! Il me reste encore une journée entière ici. D'ailleurs, mon père m'a demandé de chaperonner Ingrid demain, parce qu'il trouve qu'elle passe trop de temps seule avec ton frère, alors on pourrait passer la journée tous les quatre ensemble !

Moi : J'accepte avec joie !

Félix et Ingrid sont venus nous rejoindre quelques instants plus tard. Nous avons passé une partie de la nuit à rigoler et à danser ensemble. Je me suis beaucoup amusée, et je n'ai même pas grimacé quand Mégane s'est jointe à nous avant d'aller se coucher.

Lorsque je suis rentrée à ma chambre (il devait être près de trois heures du matin), j'ai pris ma première résolution de la nouvelle année : donner une chance à ceux que je ne connais pas et apprendre à mieux les connaître avant de les juger. Ma deuxième résolution se rapproche beaucoup de la première : cesser de penser à mon nombril et m'intéresser davantage aux autres. J'espère donc que ces révélations feront de moi une Léa améliorée. Une version 2.0 qui me fera voir les choses d'un autre point de vue.

J'espère que tu t'es aussi beaucoup amusée de ton côté et que tu as des tonnes de choses à me raconter. Tu me manques énormément, Lou ! Si tu me permets d'être un peu quétaine en ce début d'année, je voudrais te dire que je suis super fière de nous, parce que la distance ne nous a pas séparées. Ça prouve que notre amitié est solide, et c'est vraiment rassurant de savoir que tu es là pour moi. J'espère que malgré mes crises nombrilistes, tu sais aussi que tu peux toujours compter sur moi ! ☺

Je file, car je dois rejoindre Mathias, Ingrid et Félix à la plage dans quelques minutes. Je n'en reviens pas à quel point le temps a passé vite depuis que je suis ici. Demain, c'est déjà ma dernière journée, et j'ai promis à Mégane qu'on la passerait ensemble et qu'on irait profiter de notre prix en essayant tous les sports nautiques inimaginables. L'ancienne Léa te dirait que non seulement ça l'ennuie de ne pas pouvoir profiter de ses dernières heures à la plage pour se reposer sur le sable chaud, mais qu'en plus, elle déteste les sports nautiques et que c'est le pire « cadeau » qu'on pouvait lui faire, mais la nouvelle Léa, celle qui veut être plus positive, t'annonce que ça lui fait plaisir de rendre

Mégane heureuse, même si l'océan lui fait toujours aussi peur ! ;)

Je t'aime !
Léa xox

À : Léa_jaime@mail.com
De : Marilou33@mail.com
Date : Vendredi 2 janvier, 09 h 25
Objet : J'aime les deux Léa !

Léa !
Ton courriel m'a fait pleurer. T'es tellement cute !
Moi aussi, je suis fière de nous, et évidemment, je
sais que je peux toujours compter sur toi. C'est drôle,
parce que le 31 à minuit, j'ai beaucoup pensé à toi.
J'étais entourée de JP, Laurie et Steph, et on s'amusait
beaucoup, mais je sentais qu'il me manquait quelque
chose : toi ! Je sais que notre amitié peut surmonter
toutes les épreuves, et qu'où que tu sois, je peux
toujours t'écrire pour te parler de ma vie. Pour ce qui
est de tes résolutions, je pense effectivement que ça
vaut parfois la peine de donner une deuxième chance
aux gens. La preuve : regarde ce qui est arrivé avec JP.
Notre couple va tellement mieux depuis qu'on a repris !

J'aurais aimé t'écrire hier, mais je suis finalement
rentrée tard de chez Laurie, et j'ai dû partir tout de

suite chez ma grand-mère pour le traditionnel souper du Nouvel An !

Le party de Laurie était vraiment cool, et il y avait beaucoup de monde. Le seul hic, c'est que Seb a débarqué avec une amie de Sarah Beaupré qui ne va pas à notre école, et qu'il s'est arrangé pour l'embrasser devant Steph pendant toute la soirée. C'est clair qu'il faisait ça pour la rendre jalouse. Même si Steph n'est plus amoureuse de Seb, elle nous a avoué que ça lui faisait quand même quelque chose de voir qu'il s'affichait déjà avec une autre fille, d'autant plus qu'elle fait partie de la gang de nunuches teintes qui nous énerve. Parlant d'elles, elles sont arrivées juste avant minuit et se sont installées dans un coin du sous-sol en nous regardant de haut.

Quand je suis allée aux toilettes, Sarah a fait exprès pour me suivre et pour entraîner Thomas avec elle. Ils se sont plantés derrière moi dans la file d'attente.

Sarah (en s'adressant à Thomas, mais en parlant très fort pour être certaine que je l'entende) : C'est tellement enfantin comme party.
Thomas (beaucoup moins fort) : Sarah, pas maintenant, s'il te plaît.
Sarah : Ben, quoi ? C'est vrai que c'est plate ! Il me semble qu'on aurait pu faire quelque chose de plus le

fun que de célébrer la nouvelle année avec des rejetons attardés.

Moi (en me tournant vers elle) : Écoute, championne, si tu n'es pas contente, il n'y a rien qui t'empêche de partir. Je crois même que tout le monde applaudirait ton départ. Mais si tu n'as pas assez d'amis pour organiser ton propre party du Nouvel An, c'est sûrement parce que c'est toi, le rejeton attardé.

Je te jure que j'ai vu de la fumée lui sortir par le nez ! La porte de la salle de bain s'est ouverte comme par magie et je me suis empressée d'aller faire pipi avant qu'elle puisse répliquer quoi que ce soit. En sortant des toilettes, je lui ai envoyé un petit sourire satisfait et je me suis arrangée pour l'éviter pendant tout le reste du party. Disons que je préférais me concentrer sur les gens que j'avais envie de voir. Laurie avait aussi invité Christian, et peu après minuit, elle a enfin décrété qu'elle assumait qu'ils soient officiellement un couple. Nous avons aussitôt inventé une chorégraphie pour célébrer la grande nouvelle. Quand les derniers invités sont partis, Steph et moi avons aidé Laurie à nettoyer le sous-sol pour éviter que ses parents ne fassent une syncope à leur réveil.

Nous avons passé une grande partie de la nuit et de la journée d'hier à potiner et à regarder des films. Ça m'a vraiment fait du bien de changer d'air et de quitter le nid familial pendant quelques heures. Apparemment, ç'a aussi permis à mes parents de prendre du recul, car je les sens de meilleure humeur depuis mon retour.

Et toi ? Comment s'est passée ta journée avec Ingrid et Mathias ? Est-ce que ça t'a permis de mieux le connaître sans la pression de chercher à l'impressionner ? Sont-ils déjà partis ? Est-ce que Félix est triste ? As-tu survécu à un après-midi en mer avec Mégane ?

Profite au max de tes derniers moments à Cuba, car ici, il fait vraiment frette !

Tu me manques beaucoup. Tu diras à tes parents que je veux absolument qu'on s'arrange pour se voir à la relâche, alors il se peut fort bien qu'ils me voient débarquer chez vous !

Lou xox

À : Marilou33@mail.com
De : Léa_jaime@mail.com
Date : Dimanche 4 janvier, 15 h 25
Objet : Que d'émotions !

Coucou !
Me revoilà en terre montréalaise, là où il fait -23° et où les gens ont le teint blanc ! Lol !

J'aurais voulu t'écrire hier, mais en revenant de l'aéroport, j'ai à peine eu le temps de sauter sous la douche avant de me rendre chez Éloi pour célébrer l'anniversaire d'Alex.

La fin du voyage à Cuba a été aussi merveilleuse que le reste (excluant la gastro). Je suis déjà nostalgique du sable blanc, de la mer turquoise, du buffet de lasagne et des beaux yeux de Mathias !

Ne t'en fais pas ! Depuis son aveu, je le perçois uniquement comme un ami, mais ça ne m'empêche pas de le trouver beau. Le 1er janvier, Félix et moi avons rejoint Ingrid et Mathias sur la plage et nous avons passé la journée à jouer au volleyball, à paresser dans les hamacs et à nager dans la mer. Oui, tu as bien lu : Mathias m'a convaincue de sauter dans les vagues. Évidemment, il a dû me tenir la main en tout temps et me rassurer toutes les deux minutes qu'il n'y avait aucun requin aux alentours, mais j'ai quand même fini par me détendre. Comme leur avion partait très tôt le 2, je lui ai fait mes adieux peu après le souper.

Moi (en serrant Mathias dans mes bras) : Je suis super contente de t'avoir rencontré. Je sais que ça sonne bizarre... mais tu as vraiment eu un impact sur moi.
Mathias (en me souriant) : Ah ouais ? Comment ça ? Je t'ai permis d'améliorer ton anglais ?

Moi : C'est clair ! Mais en plus... je ne sais pas... tu m'as ouvert les yeux à propos de certaines choses. Je veux te remercier pour ça.

Mathias : Et moi, je veux te remercier d'avoir été aussi cool avec moi après notre petit... malentendu. J'aimerais vraiment qu'on reste amis, même si on habite à des milliers de kilomètres l'un de l'autre.

Moi : Moi aussi ! Grâce à Facebook, je ne te perdrai pas de vue !

Ingrid m'a ensuite serrée très fort dans ses bras.

Ingrid (les yeux pleins d'eau) : *Goodbye, sweetie !* Je suis vraiment contente de t'avoir rencontrée.

Moi : Moi aussi. Et ne change surtout pas. C'est rare des gens aussi positifs que toi.

Elle m'a fait un clin d'œil, puis je suis montée dans ma chambre. J'étais encore claquée par la soirée du Nouvel An, et je voulais laisser à Félix la chance de faire ses adieux à Ingrid en toute intimité. J'étais sur le point de m'endormir lorsqu'il a regagné la chambre. Quand je l'ai entendu renifler, je me suis empressée de me redresser dans mon lit et d'allumer la lampe de chevet.

J'ai vu que Félix avait les yeux tout rouges et une mine dépitée.

Moi : Ça va ?

Félix (en me tournant le dos pour éviter que je le voie) :
Correct.

Moi : T'es triste ?

Félix : Un peu.

Moi : Tu sais, il n'y a rien d'impossible, dans la vie.
Vous arriverez peut-être à vous revoir un jour !

Félix (en me faisant face) : Ben voyons, Léa. Je suis
triste, mais je ne suis pas cinglé. Il est hors de question
que j'entretienne une relation à distance avec une fille
qui vit en Allemagne !

Je suis restée silencieuse pendant quelques secondes.
Après ce qui m'était arrivé avec Thomas, j'étais
mal placée pour défendre les bienfaits d'un amour à
distance.

Moi (en souriant) : Hum ! Ben alors, t'as juste à tourner
la page et à passer au prochain appel !

Félix m'a dévisagée, puis il a finalement éclaté de rire.

Lui : Ce ne sont pas MES conseils, ça ?

Moi : Ouais ! Je me suis dit que ça t'aiderait.

Lui (en soupirant et en se laissant tomber sur son
lit) : Ouais, t'as raison ! Ou plutôt, j'ai raison. Rien de
mieux qu'une nouvelle romance pour me faire oublier
la précédente. En plus, y a un party de début de
session la fin de semaine prochaine, et il y a une fille

vraiment *chicks* qui va être là. J'avais commencé à la *cruiser* avant de partir. Il suffit juste que je me remette à l'ouvrage.

Moi (en lui lançant un oreiller) : Ouach ! Je cherchais juste à te remonter le moral; je ne voulais pas t'encourager à redevenir *player* !

Félix (en reprenant son aplomb habituel) : Je ne suis pas *player*; je suis célibataire. C'est très différent.

Moi (en refermant la lumière) : OK, Monsieur Célibataire. Je retourne me coucher. J'ai une longue journée de Jet ski et de sports aquatiques pas clairs qui m'attend demain !

Le lendemain après le petit-déjeuner, j'ai rejoint Mégane à la réception de l'hôtel. Elle avait les cheveux en bataille et l'air affolé.

Moi : Salut, Mégane. Qu'est-ce qui se passe ? Pourquoi tu fais cette face-là ?

Mégane (en gesticulant et en parlant beaucoup trop fort) : Léa ! C'est la catastrophe ! Les gens de l'hôtel viennent de me dire qu'il y a une tempête au large, et que la mer est trop agitée pour qu'on puisse faire nos activités ! C'est tellement plate !

Moi (en me réjouissant intérieurement de cette nouvelle) : Ben non, ils vont trouver une solution !

Mégane (sur le bord des larmes) : Quelle solution ? Tu pars demain, et moi aussi ! C'était notre dernière chance d'avoir du *fun*, et ils ont tout gâché.

Le monsieur de la réception est revenu avec deux chèques cadeaux de la boutique souvenir de l'hôtel.

Le monsieur : Désolé des inconvénients. Voici un petit quelque chose qui, je l'espère, saura vous remonter le moral.

J'étais tellement contente. Non seulement je n'avais pas à passer la journée dans l'eau, mais en plus, je pouvais magasiner sans compter. J'ai réussi à convaincre Mégane qu'on allait avoir du *fun* quand même, et après avoir fait une razzia dans la boutique de souvenirs (je t'annonce d'ailleurs que j'ai un t-shirt, une casquette et un aimant à frigo pour toi), nous sommes allées nous amuser dans la piscine, puis sur la plage. Mégane était en train de construire un grand château de sable quand j'ai aperçu mon père en train de lire sur une chaise longue, un peu plus loin. Je l'ai rejoint et je me suis assise près de lui.

Moi : Qu'est-ce que tu fais ici, tout seul ?
Mon père : Ta mère voulait se reposer dans la chambre, et comme les parents de Mégane sont à la piscine...
Moi (en l'interrompant) : Tu as opté pour la plage pour les fuir ? C'est pas très gentil, ça, papa !
Mon père (en me regardant d'un air coupable) : Je sais... Mais ils n'arrêtent pas de parler du retour, et de comment « ce serait le *fun* de s'organiser un week-end tout le monde ensemble ». Ils sont bien gentils,

mais j'ai besoin de relaxer, moi ! Pas de planifier les trois prochaines années ! Et ta mère est meilleure que moi pour gérer ce genre de situation !

J'ai ri. Je sais que j'aurais agi de la même façon que mon père. Comme quoi la pomme ne tombe jamais bien loin de l'arbre.

Moi : Papa ? Merci pour le voyage. C'était... inoubliable.
Mon père (en posant sa main sur la mienne) : De rien, ma chérie.

Le soir venu, lorsque j'ai fait mes adieux à Mégane, je me suis surprise à être un peu triste. Même si elle est légèrement étouffante, j'ai bien aimé jouer à la grande sœur pendant deux semaines. Comme elle pleurait à chaudes larmes, je lui ai promis d'accepter sa demande d'amitié sur Facebook dès que ses parents lui donneraient la permission d'avoir un compte à elle (mais comme les Câlinours ont horreur des réseaux sociaux, j'ai espoir d'être tranquille pendant encore quelques années !).

Hier matin, mes parents, Félix et moi avons partagé un dernier repas au buffet, puis nous sommes allés faire nos adieux à la plage et à la piscine. Même si j'étais triste de quitter ce paradis ensoleillé, j'avoue que j'avais hâte de revoir mes amis et que j'étais excitée d'aller au party d'Éloi. Rien de mieux qu'une fête pour faire disparaître le cafard du retour !

Quand je suis arrivée chez Éloi, Katherine et Jeanne se sont jetées dans mes bras !

Jeanne (en me regardant) : *OH MY GOD !* T'es donc bien bronzée !
Katherine : C'est vrai ! On ressemble à des mortes-vivantes à côté de toi !
Moi : Cool ! Votre jalousie me rassure. J'avais peur que mes quatre jours passés cloîtrée dans l'hôtel m'aient fait perdre mon super teint de vacances !
Jeanne : *Nope !* Et tu as l'air en pleine forme ! C'est ton bel Allemand qui te donne cet air-là ?
Moi (en secouant la tête) : Si tu savais ! J'ai pas mal de choses à vous raconter !

Nous nous sommes assises sur un sofa et nous avons potiné jusqu'à ce que le grand fêté vienne nous interrompre une demi-heure plus tard.

Alex : Hey, la bronzée ! Je n'ai pas le droit à mon bec ?
Moi (en me levant d'un bond et en sautant à son cou) : Ouuuiiiii ! Excuse-moi ! J'étais tellement énervée de revoir les filles que j'ai oublié de te féliciter ! Mais si ça peut te remonter le moral, je n'ai pas oublié de te rapporter un cadeau !

Je lui ai tendu un sac. Il a eu l'air sincèrement content quand il a aperçu le gant et la balle de baseball à l'effigie de Cuba que je lui ai offerts, gracieuseté de mon chèque cadeau !

Maude, Marianne et Sophie ont fait leur apparition environ une heure plus tard. Maude s'est tout de suite pendue au cou de José (ils sont apparemment revenus ensemble), puis elle a embrassé Alex, qui était assis à côté de moi.

Maude (en roucoulant) : Bonne fête, mon chéri !
Alex : Merci ! C'est gentil d'être venue.
Maude (en baissant son regard vers moi) : Je n'aurais raté ça pour rien au monde. Ce n'est pas tous les jours qu'on a seize ans ! Ni qu'on peut voir une tomate rôtie en personne...

J'ai roulé les yeux.

Moi : Sérieux, Maude ? Tu ne peux pas changer de registre ?
Maude : C'est justement ma nouvelle résolution : trouver un autre légume auquel te comparer.
Moi : La tomate est un fruit, pas un légume.
Maude (en me dévisageant) : OK, la *nerd*. Je vais trouver un fruit, d'abord. Que penses-tu de la canneberge ? C'est rouge comme ta face et petit comme ton cerveau !

Moi : En tout cas, c'est pas mal plus *cute* qu'une asperge blonde !

Alex s'est levé d'un bond pour essayer de détendre l'atmosphère.

Alex : Allons, les filles. Maintenant que vous ne vous disputez plus pour Olivier, pourquoi ne pas enterrer la hache de guerre ? Hein ? Il me semble que ce serait une super résolution, ça aussi !
Maude (en renvoyant sa crinière blonde derrière son épaule) : Pfff, ne compte pas là-dessus !

Elle m'a fait une grimace, puis elle est allée rejoindre ses nunuches. Jeanne a alors poussé un long soupir.

Jeanne : Plus ça change...
Moi : ... Plus c'est pareil !
Jeanne : Mais Alex a un bon point; au moins, vous ne vous disputez plus pour Olivier !

J'ai balayé la pièce du regard en me mordant la lèvre.

Moi (d'un air faussement détaché) : D'ailleurs, il n'est pas là, lui ? Éloi ne l'a pas invité ?
Jeanne : Ouais ! Mais je pense qu'il avait autre chose de prévu.

Elle m'a regardée avec un drôle d'air avant de poursuivre.

Jeanne : Est-ce que c'est de la déception que je vois dans tes yeux ?
Moi : Pfff ! Non ! Vraiment pas ! Je vous l'ai dit ! Olivier, c'est une histoire classée ! La nouvelle Léa n'a plus envie de mélodrames, et elle n'a pas non plus besoin de garçons pour être heureuse.
Jeanne (en me prenant par l'épaule) : Je suis contente d'entendre ça. Bienvenue dans mon club !

J'ai pris soin d'éviter Maude pendant le reste de la soirée. Je crois que c'est le seul moyen de coexister sans se lancer des bêtises toutes les deux minutes, surtout si je veux rester zen.

À la fin du party, le père de Jeanne m'a offert de me reconduire chez moi. J'étais si épuisée que je me suis endormie dès que ma tête a touché l'oreiller.

Quand je me suis levée ce matin, ma mère m'a demandé si je voulais l'accompagner faire des courses. Comme j'adore aller chez Costco (je sais, je suis bizarre, mais c'est comme ça !), j'ai tout de suite accepté.

Le magasin était bondé et sentait le *egg roll* et la surconsommation. Mon père en aurait fait une syncope.

Je suis vite partie explorer l'aile alimentaire, je me suis arrêtée devant les plateaux de dégustation.

J'étais en train d'hésiter entre un morceau de rouleau de printemps ou une croquette de poulet ultra croustillante (j'ai finalement englouti les deux) quand quelqu'un m'a tapoté l'épaule. Je me suis retournée et j'ai sursauté en apercevant Olivier qui se tenait devant moi. J'ai aussitôt regretté d'être partie de chez moi sans me coiffer et d'avoir enfilé mon vieux coton ouaté rouge et mon jean trop petit.

Moi (en me couvrant la bouche) : Hey ! Quelle surprise !

J'ai avalé mon morceau de croquette en rougissant et j'ai remarqué qu'il avait lui aussi l'air un peu nerveux.

Olivier : Est-ce que c'est bon ?
Moi : Les *egg rolls* sont débiles, mais les croquettes sont un peu décevantes.

Il a souri.

Olivier : Tu as passé de belles vacances ?
Moi : Ouais, super cool ! Et toi ?
Olivier : Relaxe. Beaucoup de temps en famille.
Moi : Même chose pour moi !

Moment de silence embarrassant numéro 1.

Olivier : J'ai croisé Katherine au cinéma.

Moi : Ouais ! Elle m'a dit ça.

Olivier (en rougissant) : Ah ouais ? Elle t'a dit quoi, au juste ?

Moi (en souriant) : Rien. Juste qu'elle avait été pognée pour aller voir un film d'action plate, et que toi tu étais coincé pour regarder une comédie quétaine.

Olivier : Ouais ! Ma sœur m'a forcé !

Moment de silence embarrassant numéro 2.

Olivier : En tout cas... j'étais... déçu de ne pas pouvoir venir hier. J'aurais aimé te... ben... vous voir.

Moi : Ouais ! C'est plate que tu aies raté ça.

Ma mère est arrivée en me tendant une boîte de tampons.

Ma mère : Tiens, chérie ! Ils sont beaucoup moins chers ici.

Je lui ai fait de gros yeux et je suis devenue rouge... comme une canneberge.

Moment de silence embarrassant numéro 3 (le pire de ma vie).

Ma mère (en apercevant Olivier) : Oh ! Désolée ! Je ne savais pas que tu avais de la compagnie.

Elle s'est empressée de cacher la boîte de tampons derrière son dos et elle a tendu sa main à Olivier.

Ma mère : Salut ! Je suis la maman de Léa.
Olivier : Enchanté, madame ! Moi, c'est Olivier. Je suis un... ami de Léa. De l'école.

Olivier et moi avons échangé un regard.

Ma mère (en s'éloignant) : Bon, je vous laisse. Léa, tu me rejoindras dans l'allée des livres !

Olivier : Je ferais mieux d'y aller, moi aussi. Connaissant ma mère, elle doit être en train de m'acheter des jeans avec des motifs de dragons.

Il a hésité un moment, puis il m'a tendu la main.

Olivier : Bonne année, Léa.

J'ai serré sa main et j'ai ressenti des picotements dans mon ventre.

Moi (en souriant) : Bonne année, Olivier.

Je l'ai observé discrètement tandis qu'il s'éloignait, et j'ai réalisé que j'étais quand même contente de le revoir.

J'ai rejoint ma mère et j'ai feuilleté distraitement des romans, mais je n'arrivais pas à chasser Olivier de mes pensées. La Léa «améliorée» réalisait enfin qu'elle avait aussi ses torts dans cette histoire.

Après tout, c'est vrai que j'avais davantage perçu Olivier comme un trophée et une façon de faire suer Maude que comme un garçon qui me plaisait et que je voulais mieux connaître.

C'est sûr que sa «relation» avec Maude me dégoûte encore et que j'aurais préféré qu'il soit plus franc avec moi, mais je n'ai pas non plus été un modèle d'intégrité. Comme ses intentions m'apparaissent sincères et qu'il est gentil avec moi, pourquoi ne pas mettre ma résolution en pratique et ne pas lui donner une chance plutôt que de le juger? Si j'essayais vraiment de mieux le connaître et de devenir copine avec lui plutôt que de le condamner sans appel pour ce qui s'est passé avant Noël?

Qu'en penses-tu?

Je suis revenue chez moi et c'est finalement l'appel des mets chinois commandés par mon père qui a chassé Olivier de mon esprit.

Voici donc le (très) long résumé de ma vie. Dis-toi que maintenant que je suis de retour, tu n'auras plus droit à mes romans de quatorze pages puisque ma vie ne sera plus aussi palpitante, mais que tu pourras au moins me joindre sur mon cellulaire en tout temps !

J'espère que tu profites à fond de ta dernière journée de congé et que l'atmosphère est encore au beau fixe à la maison. J'ai très hâte de te voir. J'ai déjà annoncé à mes parents que tu voulais venir me visiter pendant la relâche. Ils sont super contents de t'accueillir, alors tu peux officiellement annoncer à ton chum que tu le délaisseras pendant quelques jours. Youpi ! Je suis contente. Plus que deux mois et on pourra être ensemble !

Écris-moi vite !
Léa xox

Chapitre 4 :
Léa Olivier, version améliorée

Mercredi 7 janvier

Alex (en ligne): Bonsoir, mademoiselle Olivier! Je vous dérange?

19 h 47

Léa (en ligne): Oui, mais ça m'arrange! Lol! J'essaie de terminer mon article pour le journal, mais je suis zéro inspirée!

19 h 47

Alex (en ligne): De quoi ça parle?

19 h 48

Léa (en ligne): Des résolutions de la nouvelle année.

19 h 49

Alex (en ligne): Ben, là! Ça fait trois jours que tu nous casses les oreilles avec tes histoires de pensées positives et avec ta nouvelle vision du monde. Pourquoi tu ne répètes pas ton charabia dans ton article?

Léa (en ligne): Parce que je suis prête à accepter que vous me trouviez bizarre, mais que je ne tiens pas non plus à ce que toute l'école me juge! ;) Sans blague, j'essaie de composer un article qui a de l'allure, mais mon cerveau est encore en mode vacances. Je pense que mes neurones sont restés à Cuba!

19 h 51

Alex (en ligne): Ah! C'est ce qui explique ton attitude bizarre des derniers jours?

19 h 52

Léa (en ligne): Pfff! Du tout! Je ne suis pas bizarre!

19 h 52

Alex (en ligne): Ah non? Alors c'est normal que tu souries quand Maude te lance des bleuets dans la cafétéria?

19 h 52

Léa (en ligne): Ouin! J'essayais une nouvelle stratégie. Je me suis dit que si je lui souriais, peut-être qu'elle serait déstabilisée et qu'elle me laisserait tranquille.

19 h 53

Alex (en ligne): Et c'est son attaque de boulettes de papier dans le cours de maths qui t'a prouvé le contraire?

19 h 54

Léa (en ligne): Yep! J'ai donc pris une autre décision: je vais être plus positive, SAUF avec Maude. Et Marianne. Et Lydia. Et Sophie. Ça marche, ça?

19 h 55

Alex (en ligne): Là, je reconnais mon rongeur! Et dis-moi, c'est aussi ton attitude positive qui te pousse à saluer Olivier? Je pensais que tu ne lui parlais plus...

19 h 56

Léa (en ligne): Exact. Je me suis dit qu'il fallait enterrer la hache de guerre. En plus, il paraît que la rancune donne des rides! ;)

19 h 56

Alex (en ligne): Hum! Reste quand même sur tes gardes, Madame Bonheur!

19 h 57

Léa (en ligne): Promis. Mais si ça peut te rassurer, mon positivisme a des limites; je suis en train de pogner les nerfs parce que je perds mon bronzage et que je ne comprends rien en maths!

19 h 57

Alex (en ligne): Pour les maths, je peux t'aider, mais pour le bronzage... il va falloir que tu fasses ton deuil.

19 h 58

Léa (en ligne): Je sais (soupir)! Bon, je retourne à mon article avant qu'Éric ne commence à me harceler parce que je suis en retard. On se parle demain! xx

À : Léa_jaime@mail.com
De : Marilou33@mail.com
Date : Jeudi 8 janvier, 16 h 55
Objet : JE CAPOTE !

Léa, je capote. Et on ne parle pas d'un petit capotage, mais bien d'un capotage MAJEUR qui va te faire crier tout haut !

Tu te rappelles qu'en septembre, je t'avais dit que Steph et Laurie étaient dans la même classe que Seb, Thomas et JP (ce qui était un peu une exagération puisque nous sommes en 4, alors qu'eux sont en 5) ? La vérité, c'est que comme notre école est microscopique et que nous vivons au milieu de nulle part, les élèves de secondaire 4 et 5 sont jumelés pour les cours d'art et d'éducation physique. À l'automne, j'étais inscrite en natation avec deux autres filles de secondaire 4, tandis que les autres (Steph et compagnie) faisaient de l'impro. Tout allait bien dans le meilleur des mondes. Pour la session d'hiver, je me suis inscrite en théâtre, et cet après-midi, j'avais mon premier cours dans l'auditorium.

Je savais déjà que je ne serais pas avec Steph ni Laurie, puisque c'est maintenant à leur tour de faire du sport et qu'elles jouent ensemble au volley-ball. J'étais aussi au courant que JP et ses amis s'étaient inscrits dans l'équipe de football. Je m'attendais donc à être un peu rejet.

Mais quelle ne fut pas ma surprise de voir Sarah Beaupré assise dans les gradins avec un cahier de notes. Oui, madame. Non seulement je n'ai pas d'amis dans la classe, mais il faut en plus que j'endure LA fille qui me tape le plus sur les nerfs au monde jusqu'en juin.

Je me suis assise derrière Sarah et j'ai croisé les bras. La prof s'est présentée quelques instants plus tard et nous a expliqué que plutôt que de faire des ateliers, nous allions monter une pièce de théâtre que nous présenterons devant les autres élèves de secondaire 4 et 5 à la toute fin de l'année.

Afin de nous attribuer les rôles, elle nous a demandé de monter sur scène deux par deux et de lire des extraits d'une pièce à voix haute. Évidemment, elle nous a jumelés au hasard, et il a fallu que ma partenaire soit... Sarah Beaupré. Oui, tu as bien lu ! Apparemment, il n'y a pas que toi qui sois malchanceuse !

Comme Sarah ne s'était pas encore rendu compte de ma présence, elle a sursauté lorsque la prof a mentionné mon nom. Elle s'est tournée vers moi en grimaçant comme si j'avais le visage couvert de verrues.

J'ai répondu à sa grimace en l'imitant, puis je l'ai suivie jusqu'en avant de l'auditorium et je suis montée sur la scène.

La prof : Les filles, vous allez lire cet extrait à voix haute. Sarah, tu es une reine intransigeante et sans pitié. À tes yeux, tu es supérieure à tous, et personne ne peut rien te refuser.

J'ai aussitôt éclaté de rire. Ce rôle était vraiment conçu pour elle. Sarah m'a évidemment foudroyée du regard, puis elle a souri à la prof pour lui signaler qu'elle avait bien saisi ses directives.

La prof : Marilou, tu interprètes quant à toi le rôle d'Yvette. Tu es la servante de la reine.

J'ai entendu Sarah s'esclaffer.

Moi (d'un air indigné) : Quoi ? Non ! Madame, je ne peux pas lire cet extrait !
La prof (en me dévisageant) : Euh ! Pourquoi ?
Moi : Parce que... c'est un rôle de servante... et que... je suis une féministe ! Ah ! C'est ça ! C'est mon amie Laurie qui a déteint sur moi, et qui m'a appris qu'une femme devait toujours défendre ses intérêts et se montrer forte. Je crois que si j'essayais d'entrer dans la peau d'une servante, j'irais à l'encontre de mes idéaux.

Un ange est passé.

La prof : Hum ! Écoute, Marilou... Je suis la première à vouloir défendre l'intérêt des femmes et à prôner notre égalité... Mais là, tu fais du théâtre. Tu joues un rôle. Tu te mets dans la peau d'un personnage qui a été écrit il y a plus de trois cents ans. Peu importe le rôle que tu vas interpréter, il ne sera jamais exactement comme toi. Il va falloir que tu laisses tes idéaux personnels de côté et que tu plonges dans le monde d'Yvette. Crois-tu pouvoir faire ça ?

J'ai pris le temps de réfléchir à sa question. Je savais qu'elle avait raison, mais l'idée d'interpréter la servante de Sarah me donnait la nausée.

Sarah : Si t'es pas contente, je pense qu'il reste une place dans l'équipe de football. Je suis certaine que ton chum serait content de te protéger. C'est vrai que ce n'est pas trop valorisant pour une « féministe » (elle a dit ça en faisant des signes de guillemets) de jouer à la fille éplorée sur un terrain de foot, mais au pire, tu pourrais faire la *cheerleader* !

J'ai l'ai regardée en bouillant à l'intérieur, puis je me suis tournée vers la prof.

Moi : C'est bon. Je vais lire l'extrait.
La prof : Super ! De toute façon, tu n'as pas trop à t'en faire ; je vous demande simplement de lire un extrait pour vous voir en action, mais ça ne veut pas dire que tu décrocheras le rôle de la servante.
Moi : OK.

La prof (avec beaucoup trop d'intensité) : Et n'oublie pas, Marilou, l'important, c'est d'agrémenter le rôle que tu interprètes d'une touche personnelle. Je veux sentir ton âme.

Sarah et moi avons donc commencé la lecture. J'ai décidé de suivre les conseils de notre prof à la lettre. Chaque fois que la reine avait une plainte à formuler ou une demande à faire à la servante, je répliquais en lui faisant une grimace, ce qui faisait rire toute la classe et qui mettait Sarah dans tous ses états.

Après notre scène, je me suis rassise sous les applaudissements de mes camarades.

La prof : Wow ! Bravo, Marilou ! Tu as réussi à intégrer ton caractère féministe et à ajouter une touche d'humour à l'extrait. J'aime bien le caractère que tu as donné à Yvette. J'ai aussi bien apprécié la réaction de Sarah à tes mimiques. On peut dire que vous avez toute une chimie !

Beurk ! Si elle savait.

Les autres élèves ont présenté leurs extraits à tour de rôle, et juste avant la fin du cours, la prof nous a annoncé qu'elle avait pris une décision.

La prof : Comme le temps est compté et que nous devons nous mettre au travail dès le prochain cours, j'ai pris des notes durant vos performances pour m'aider. Voici donc les rôles que je vous ai attribués.

Elle s'est mise à lire la distribution à voix haute. Mon cœur battait à tout rompre.

La prof : Sarah et Marilou, à la suite de vos prestations, je serais folle de vous séparer et de ne pas vous attribuer les rôles que vous avez interprétés aujourd'hui. Sarah, tu seras donc la reine, et Marilou, sa servante. Continuez votre beau travail, les filles !

ARK ! C'est la pire chose qui pouvait m'arriver. Non seulement je suis coincée dans un auditorium avec Sarah Beaupré une à deux fois par semaine, mais en plus, je vais passer des mois à interpréter le rôle de sa servante et à me plier à ses quatre volontés.

Je suis sortie de l'auditorium sans rien dire et je me suis précipitée vers le casier de JP, mais lorsque je lui ai annoncé la nouvelle (en hurlant légèrement comme une hystérique), il a réagi en souriant !

Moi (en le dévisageant) : Pourquoi tu souris comme ça ?
Lui : Ben... premièrement, parce que je trouve ça un peu drôle comme situation, et deuxièmement, parce

que même si tu capotes, je pense que ce n'est pas une mauvaise chose que tu travailles avec Sarah.

Moi (en écarquillant les yeux et en ouvrant la bouche comme s'il venait de m'apprendre qu'il avait le choléra) : HEIN ? QUOI ? En quoi est-ce que ce n'est pas une « mauvaise » chose que je sois jumelée avec l'incarnation du diable pendant les quatre prochains mois ?

JP a soupiré et a haussé les épaules en regardant les élèves qui s'étaient retournés vers nous, comme s'il n'avait rien à voir avec ma réaction.

JP (en chuchotant) : Relaxe, Lou. Tout le monde nous regarde !

Moi : Tout le monde nous regarde parce qu'ils sentent que tu es un traître !

JP (en souriant) : Est-ce que je peux m'expliquer avant que tu me condamnes ?

Moi (en croisant les bras) : Tu peux toujours essayer...

JP : Je sais que ça t'énerve quand je dis ça, mais je persiste à croire que si tu donnais une chance à Sarah, vous pourriez arriver à vous entendre.

Moi : Pfff. Tellement pas ! Si tu penses que...

JP (en levant la main pour m'interrompre) : Relaxe ! Je n'ai pas fini. Tu sais aussi que si tu t'entendais mieux avec elle, ça me simplifierait vraiment la vie, puisque tu pourrais passer plus de temps avec moi et que tu te joindrais aux soirées avec les *boys* au lieu de les boycotter.

Moi : QUOI ? Mais je pensais qu'on avait convenu que...

JP (en m'interrompant une autre fois tout en gardant le sourire) : Tut ! Je n'ai pas fini. Ce que j'essaie de te dire, c'est que tu me manques quand tu n'es pas là.

Moi (en souriant malgré moi) : Oh, c'est *cute* ! Mais je ne veux pas que tu t'imagines que...

JP (en posant une main sur ma bouche) : Laisse-moi finir, Marilou. Ce que j'essaie de t'expliquer, c'est que si Sarah et toi étiez en meilleurs termes, ça me rendrait heureux parce que je pourrais aussi passer plus de temps avec toi, et que ce serait moins lourd dans les partys.

Moi : Désolée, JP, mais il va falloir que tu fasses ton deuil. Sarah et moi ne serons jamais amies.

Il a réfléchi quelques instants, puis il s'est penché vers moi.

JP (en chuchotant) : Si tu juges que c'est vraiment impossible de t'entendre avec elle et que tu n'es plus capable de supporter son attitude, tu pourrais t'arranger pour tourner le tout à ton avantage.

Moi (sur mes gardes) : Hum ? Qu'est-ce que tu veux dire ?

JP (en chuchotant encore) : Ben, selon ce que tu me dis, tu t'es arrangée pour te moquer d'elle pendant l'extrait, et ç'a vraiment fait rire le public. Si tu décidais de continuer dans la même veine et de la ridiculiser dans toutes vos scènes, ce serait une façon assez efficace de lui tenir tête et de lui montrer que même si tu es sa servante, c'est toi qui contrôles la situation quand vous êtes sur la scène. En plus, tu sais déjà que la prof trouve ça drôle, alors elle serait la première à encourager ta démarche. Je suis sûr qu'au bout du compte, tu sortirais gagnante de cette situation.

Moi (en souriant) : Wow ! Je ne pensais pas que tu étais aussi machiavélique.

JP : Ouais, ouais ! Bon, maintenant que tu sais que je suis de ton bord, est-ce que je peux te demander un petit service ?

Moi (en le repoussant d'un air suspicieux) : Hum ! C'est quoi ?

JP : Promets-moi de ne jamais dire à Thomas que je t'ai autorisée à faire la guerre à sa blonde !

Moi : Ha ! Promis !

Même si JP m'a donné un peu d'espoir, ça me fait quand même capoter de devoir passer autant d'heures en compagnie de Sarah. La prof nous distribuera nos textes dès la semaine prochaine, et je sais que je devrai me taper toutes les répétitions avec elle puisque nous sommes ensemble dans toutes les scènes. J'espère que tu m'enverras plein d'ondes positives pour m'aider à passer à travers ce semestre !

J'attends de tes nouvelles !
Lou xox

P.-S. : Je sais que je te l'ai déjà dit mille fois quand on s'est parlé au téléphone, mais je te répète que oui, ce n'est pas fou de recommencer à parler à Olivier. Comme tu le dis si bien, peut-être que tu l'as jugé trop vite !

P.P.-S. : Que choisirais-tu entre passer une fin de semaine complète enfermée dans un chalet avec Maude, ou un semestre à jouer la servante de Sarah Beaupré ?

📱 09-01 12 h 24

Lou?

📱 09-01 12 h 24

Coucou! Je suis en train de dîner avec Laurie et Steph! Elles te font dire «allo»!

📱 09-01 12 h 25

Dis-leur que je les embrasse!

📱 09-01 12 h 25

C'est fait! ☺ Alors, quoi de neuf?

📱 09-01 12 h 26

Pas grand-chose; je mange mon sandwich au local du journal. On a une réunion ce midi, mais il fallait absolument que je t'envoie mes sympathies pour ton cours avec Sarah (oui, j'ai crié quand j'ai lu ton courriel!) et que je réponde à ton énigme d'hier avant de poursuivre!

📱 09-01 12 h 26

Mon énigme?

📱 09-01 12 h 27

Oui! Si je préférais être pognée avec Maude pendant une fin de semaine ou encore avec la reine Sarah pendant un semestre!

📱 09-01 12 h 27

Ah, oui! Pas facile comme colle, hein?

📱 09-01 12 h 28

Mets-en! J'y pense depuis hier! Lol!

📱 09-01 12 h 28

Et puis? Ta conclusion?

📱 09-01 12 h 28

Ma conclusion serait d'enfermer Maude et Sarah dans un chalet, et de faire du théâtre avec toi, car tes deux options sont trop sadiques!

📱 09-01 12 h 29

Bon choix! Ou alors on les laisse se battre sur scène pendant que toi et moi relaxons au chalet!

📱 09-01 12 h 29
....

Oui! Ce serait encore mieux! (À condition que cette fois-ci, Thomas ne se trouve pas dans le chalet voisin!)

📱 09-01 12 h 30
....

Oh que non! Plutôt dormir avec les ours!

📱 09-01 12 h 31
....

Bon, je te laisse! Éric veut qu'on discute du prochain numéro.

📱 09-01 12 h 31
....

Cool! Écris-moi plus tard!

📱 09-01 12 h 32
....

Promis! J'ai une soirée de filles ce soir avec Katherine et Jeanne, mais je te donne des nouvelles en fin de semaine!

📱 09-01 12 h 32
....

Cool! Je t'aime! ☺

📱 09-01 12 h 33
....

JTM aussi! xox

Samedi 10 janvier

20 h 47

Léa (en ligne): Félix? C'est qui le *dude* gossant qui était chez nous quand je suis rentrée de chez Jeanne ce matin?

20 h 48

Félix (en ligne): C'est Zack.

20 h 48

Léa (en ligne): C'est qui, Zack?

20 h 49

Félix (en ligne): C'est mon ami. Je l'ai rencontré dans mon cours de philo la session dernière.

20 h 49

Léa (en ligne): Et pourquoi Zack fait-il une soudaine apparition au petit-déjeuner familial?

20 h 50

Félix (en ligne): Parce qu'on est sortis hier soir, et que, comme ses parents habitent loin, je l'ai invité à dormir chez nous.

Léa (en ligne): Et il a dormi où, ton nouvel ami Zack?

Félix (en ligne): Euh! Ben... comme tu passais la nuit chez ton amie, je lui ai offert ton lit.

Léa (en ligne): ARK! OUACH! DÉGUEU!

Félix (en ligne): Relaxe! Il n'a pas de maladies! C'est quoi, le problème? Je n'allais quand même pas le faire dormir sur le plancher! Et comme ton lit ne servait à rien, je me suis dit que ce n'était pas un *big deal*.

Félix (en ligne): Tu ne réponds pas? Tu boudes?

Léa (en ligne): Je ne répondais pas parce que j'étais partie changer mes draps! Pas question que je dorme dans un lit infecté par ton ami poilu! Franchement, Félix! Tu aurais pu me texter pour me demander la permission au lieu de présumer que ça ne me dérangerait pas! Ma chambre n'est pas l'Accueil Bonneau!

21 h 05

Félix (en ligne): On est rentrés à deux heures. Je n'allais quand même pas te texter à cette heure-là! Te connaissant, tu m'aurais fait une crise parce que je te réveille.

21 h 06

Léa (en ligne): Je ne dormais pas à deux heures, tu sauras!

21 h 06

Félix (en ligne): Ah, non? T'es pas mal rebelle! Tu faisais quoi? Tu regardais des dessins animés?

Léa (en ligne): Rapport! Je regardais un film d'horreur *full* épeurant!

21 h 07

Félix (en ligne): Est-ce que ça t'a fait faire des cauchemars? C'est pour ça que tu es de mauvaise humeur?

21 h 08

Léa (en ligne): Non. Je suis de mauvaise humeur parce que tu as envahi ma bulle et que tu n'as pas respecté mon intimité. La prochaine fois, tu m'en parleras avant d'offrir mon lit à ton ami bizarre.

21 h 09

Félix (en ligne): C'est quoi, l'affaire? Tu ne le connais même pas! Pourquoi tu le juges?

21 h 10

Léa (en ligne): Laisse faire.

21 h 10

Félix (en ligne): Je pensais que tu avais pris la résolution d'être «plus ouverte avec les gens que tu ne connaissais pas»?

21 h 11

Léa (en ligne): Je sais... et j'essaie très fort de l'accepter, mais il a eu un comportement... déplacé qui me force à revoir ma position!

21 h 11

Félix (en ligne): C'est-à-dire?

21 h 12

Léa (en ligne): Premièrement, il a fini MON jus de pomme; deuxièmement, il m'a appelée «la p'tite»; et troisièmement, il a déblatéré pendant toute la matinée en *ploguant* des marqueurs de relation beaucoup trop intenses pour impressionner les parents. Qui utilise des termes comme «cependant» et «désormais» avant 10 h du matin? Et qui parle d'exportation au Japon avant sa première tasse de café?

Félix (en ligne): Pfff. T'es juste jalouse parce que, contrairement à toi, j'ai des amis qui ont un quotient intellectuel supérieur à celui d'une plante.

21 h 14

Léa (en ligne): Mes amis n'ont pas besoin de dire «néanmoins, le PIB de l'Allemagne est très impressionnant» pour se prouver qu'ils sont intelligents!

21 h 15

Félix (en ligne): À ta place, je m'habituerais, parce que je m'entends super bien avec Zack et que je compte l'inviter souvent à la maison. Bon, je te laisse: j'ai des gens intéressants à rejoindre. Bon samedi soir dans ton lit plein de poils, la p'tite!

21 h 16

Léa (en ligne): GRRRR!

Félix s'est déconnecté

À : Marilou33@mail.com
De : Léa_jaime@mail.com
Date : Mardi 13 janvier, 16 h 55
Objet : De nouveaux personnages

Coucou, Lou !
Comment vas-tu ? As-tu passé la fin de semaine collée sur JP, ou est-ce que tu as dû garder ton petit frère et ratatiner dans une piscine (je sais que tu aimes la natation, mais ne me demande pas de comprendre ta passion !). Est-ce que tu t'es remise du choc du cours de théâtre ? Tu sais, je crois que JP a vraiment raison ; si tu décides d'interpréter ton rôle comme tu l'as fait le jour des auditions, je suis certaine que tu vas la rendre folle d'ici la fin de l'année. OH ! J'aimerais tellement la voir pomper sur scène. Mouahaha !

De mon côté, mon super grand frère a une fois de plus réussi à perturber mon état zen et envahir mon espace vital en introduisant deux nouveaux personnages insupportables dans mon quotidien.

Le premier s'appelle Zack. Toi, tu as mini Zak, qui te gosse tous les jours parce qu'il demande de l'attention, et moi, j'ai maintenant grand Zack, qui est un ami que Félix s'est fait à la dernière session et qui a décidé d'élire domicile chez moi depuis samedi sous prétexte que ses parents habitent loin. Et comme le cégep ne recommence que la semaine prochaine (j'ai tellement hâte, on dirait qu'ils sont constamment en vacances), ils passent leurs journées à jouer à la console et à se prendre pour des intellos en engloutissant mes yogourts préférés.

La première chose à savoir à propos de Zack, c'est qu'il est extrêmement poilu. Comme il se prend pour un philosophe, il se croit au-dessus des règles élémentaires d'hygiène et refuse de se raser (beurk !).

La deuxième chose, c'est qu'il n'a aucun scrupule à manger toute la bouffe qu'il y a dans le frigo ni à dormir sur le sofa du salon presque toutes les nuits, car c'est un «socialiste» qui prône le partage et l'entraide mutuelle.

La troisième chose, c'est qu'il parle sans arrêt. Dès que j'essaie de regarder un film, il se met à commenter le décor, l'énergie des acteurs ou alors le climat sociopolitique qui découle de mon «long métrage».

Oui, tu as bien lu : Zack utilise aussi des termes *fancy* pour avoir l'air plus intelligent. Son vocabulaire se résume à des mots qui battraient des records au Scrabble, et le pire dans tout ça, c'est que je suis la seule que ça semble énerver.

Dimanche, alors que je m'apprêtais à regarder un épisode des *Menteuses*, Zack est venu s'asseoir à côté de moi et m'a souri comme si j'avais trois ans d'âge mental.

Zack : Qu'est-ce que t'écoutes, la p'tite ?

Moi (en soupirant) : Je n'aime pas qu'on m'appelle « la p'tite ».

Zack : Oh ! Excuse-moi. Je sais que Félix t'appelle comme ça, alors je me suis permis la même familiarité. C'est drôle : on dirait que les gens ont peur de tisser des liens intrinsèques. Au fond, nous sommes tous une grande famille, alors à quoi bon s'en tenir à des banalités ? Pourquoi ne pas faire fi des barrières que nous impose notre société ?

Moi : Euh ! Je ne veux pas être impolie, mais j'aimerais ça regarder mon émission.

Zack : Oh, oui, pardon ! Je ne voulais pas t'interrompre. Que regardes-tu ?

Moi : *Les Menteuses*.

Zack (en plissant les yeux comme si je venais de lui révéler un secret de la vie) : Hum ! C'est intéressant.

Moi (d'un air surpris) : Hein ? Tu trouves que l'émission est intéressante ? Je ne pensais pas que tu étais le genre à écouter ça.

Zack (en riant aux éclats) : HA, HA ! Non, je n'écoute pas la télévision. C'est trop futile. Je disais ça parce que je trouve intéressant que les Américains produisent des émissions qui prônent des valeurs viles, comme le mensonge.

J'ai pris une profonde inspiration et je me suis contentée de monter le son de la télé. Les quelques jours passés avec Zack m'ont suffi pour comprendre que ça ne donne rien de m'obstiner avec lui, puisqu'il croit toujours avoir raison.

Après mon émission, j'ai proposé à mes parents de louer un film pour la soirée. C'est une activité familiale qu'on organise parfois l'hiver pour combattre le cafard du dimanche.

Ma mère : Oh ! Bonne idée ! Je voulais justement voir le nouveau *Batman* !

Mon père : Ouais ! Super idée, Léa !

Moi : Cool ! Je crois que le nouveau *Batman* irait très bien avec des mets chinois.

Ma mère : Encore ? Mais on vient d'en manger ! Il me semble que des légumes, ce serait bon pour toi.

Zack (en s'incrustant dans notre conversation) : C'est vrai que ça fait du bien, des légumes. Léa, il faut que tu sois consciente que chaque aliment que tu mets dans ton corps a un impact sur le bon fonctionnement de ton métabolisme. C'est à toi de choisir ton carburant, car tu es responsable de ton véhicule intérieur. C'est d'ailleurs pour cette raison que j'ai décidé de devenir végétarien.

Moi (en le dévisageant) : Mon corps se porte très bien avec des *egg rolls*. Et si ça peut te rassurer, il y a du chou dedans.

Mon père : Moi, je ne dirais pas non à des mets chinois !
Si ma puce en a envie, alors pourquoi pas ?

Félix : Évidemment. C'est toujours elle qui choisit !

Moi : Depuis quand tu t'obstines pour pas manger de chinois, toi ?

Zack (en posant une main sur mon épaule) : Allons ! Il ne faut pas que tu t'énerves pour ça.

Je l'ai dévisagé et je me suis empressée de louer le film avant de sauter un câble. Comme il était presque 18 h, j'avais espoir que Zack décolle avant le souper, mais à mon grand désarroi, mon père l'a invité à partager le repas et à regarder le film avec nous. Euh, allo ? C'est une activité familiale, non ?

Zack n'a d'ailleurs eu aucun scrupule à s'installer dans MON sofa, à engloutir du riz au brocoli (beurk !), ni à manger mon dernier *egg roll* sous prétexte que c'était la seule chose végétarienne qui restait. Grrr !

À la fin du film, quelqu'un a sonné à la porte.

Zack (en se levant) : Oh ! Ce doit être Marie-Fleur.

Moi : Ha, ha !

Félix : Pourquoi tu ris ?

Moi : Ben, je trouve ça drôle qu'il invente un nom de plante.

Félix (en chuchotant) : Ce n'est pas un nom inventé. Sa blonde s'appelle vraiment Marie-Fleur.

Moi : Il a une blonde ? Pauvre elle.

Félix (en me donnant un coup de coude) : CHUT !

C'est alors que le deuxième nouveau personnage a fait son entrée dans ma vie. Marie-Fleur porte finalement très bien son prénom. Elle a les cheveux très longs (presque aux fesses) et sent un peu l'encens. Ou le patchouli ? En tout cas, un truc hippie quelconque. Elle a un joli visage, mais elle a un style vestimentaire qui laisse vraiment à désirer (jupe longue sans forme, chandail de laine avec des lamas dessus, mocassins en faux cuir parce qu'elle est végétalienne – tu vois le genre).

Heureusement pour moi, Félix, Zack et Marie-Fleur se sont ensuite installés dans la chambre de mon frère. J'ai eu un répit pour le reste de la soirée !

À l'école, les choses vont plutôt bon train. J'ai même connu un moment de complicité avec Olivier aujourd'hui. Comme tu le sais, nos casiers sont côte à côte. Avant Noël, je m'arrangeais généralement pour aller chercher mes livres lorsqu'il n'était pas là ou pour discuter avec Alex ou Jeanne jusqu'à ce qu'il décampe, mais depuis que l'école a recommencé, j'ai décidé de profiter de la proximité de son casier pour reprendre contact avec lui.

Ce midi, il est arrivé derrière moi au moment où je rangeais mon manuel de sciences dans mon sac.

Olivier (en pointant mon livre) : Super inspirant comme lecture, hein ?

Moi : Oui et non. Oui, parce qu'il m'a permis de déterminer que je n'étudierais pas en sciences au cégep, mais non parce que les concepts qu'il contient me donnent mal à la tête !

Maude (en souriant tout en ouvrant son casier) : Compte tenu de la grosseur de ton cerveau, ça ne m'étonne pas que tu aies mal à la tête.

J'ai roulé les yeux. Je ne trouvais rien à répliquer. Merde. C'est alors qu'Olivier m'a tirée par la manche et a discrètement pointé en direction des bottes (des Ugg, évidemment) de Maude. J'ai écarquillé les yeux et j'ai senti mon cœur se remplir de joie. Un long morceau de papier de toilette s'était incrusté sous la botte droite de mon ennemie jurée et suivait chacun de ses mouvements.

Maude (en me dévisageant) : Pourquoi tu souris comme une tarte ? Et pourquoi tu ne parles pas ? Le chat a mangé ta langue ?

C'est alors que j'ai remarqué qu'elle avait aussi un grain de poivre coincé entre ses deux palettes. Je jubilais. Ça voulait dire que la vie n'était pas complètement injuste, puisque les plus cool connaissaient parfois aussi des moments honteux.

Moi (en m'efforçant de rester neutre) : Je préfère ne rien dire, Maude. Je ne veux pas t'humilier davantage; je crois que tu fais déjà un très bon travail toute seule.

Maude m'a lancé un regard dubitatif, puis elle s'est éloignée, traînant son morceau de papier de toilette avec elle. J'ai aussitôt éclaté de rire.

Olivier : Wow ! Je n'ai pas hâte de voir sa réaction quand elle va se regarder dans le miroir.

Moi : Oh ! Moi, c'est tout le contraire ! J'espère vraiment que...

Un cri strident s'est fait entendre. Un peu plus loin, José venait d'apprendre la mauvaise nouvelle à Maude. Olivier et moi avons éclaté de rire, puis nous nous sommes dirigés vers le local de sciences en discutant de tout et de rien. Quand je me suis assise à mon bureau, Katherine m'a fait un clin d'œil. Je crois qu'elle est contente que j'aie repris contact avec Olivier. Même si sa vie amoureuse n'est pas top depuis un an, elle reste toujours aussi romantique.

Bon, je te laisse : Félix et Zack viennent d'arriver à la maison, alors je vais proposer à mon père de l'accompagner à l'épicerie. Moins je vois l'ami gossant de mon frère, et mieux je me porte ! ☺

Écris-moi vite !
Léa xox

À : Léa_jaime@mail.com
De : Marilou33@mail.com
Date : Jeudi 15 janvier, 19 h 23
Objet : Zack versus Zak !

Salut ! Wow ! Ça fait longtemps que Félix n'avait pas introduit de nouveaux personnages dans vos vies. Zack a l'air tellement insupportable. Mais je t'avoue que ça ne m'étonne pas trop de la part de ton frère de s'être lié d'amitié avec lui ! Il a le don d'être gentil avec tout le monde et de créer des liens avec des gens douteux, des fois ! Tu te rappelles quand il était en secondaire 3 et qu'il était devenu *best* avec la gang de gothiques ? Ou l'été d'avant quand il était revenu de son camp d'immersion et avait invité Shawn, le gars qui parlait tout seul, à rester chez vous pendant trois semaines ? Tu capotais tellement que tu t'étais réfugiée chez moi pendant quatre jours !

Le problème, c'est que Félix est trop sociable, et que tes parents sont trop généreux.

Quant à moi, j'ai aujourd'hui eu mon deuxième cours de théâtre, et tel que promis, la prof nous a remis les textes. Nous avons fait une simple lecture de la pièce à voix haute, alors je n'ai pas eu la chance de me moquer à nouveau de Sarah, mais je te jure qu'elle ne perd rien pour attendre ! ☺

Chez moi, les choses sont relativement calmes. Mes parents ont apparemment décidé de passer plus de temps ensemble, puisqu'ils m'ont demandé de garder Zak mardi et ce soir, car ils avaient un « rendez-vous important ».

Je te laisse, car mon petit frère n'arrête pas de m'achaler pour que je lui accorde de l'attention.

Je t'embrasse fort et je ris de Maude et de son de grain de poivre. Je suis tellement contente de voir que ça n'arrive pas qu'à nous, ce genre d'affaires-là !

Lou xox

Samedi 17 janvier

14 h 57

Olivier (en ligne): Salut! Qu'est-ce que tu fais?

14 h 59

Léa (en ligne): Hey! Salut! ☺ J'essaie de ne pas paniquer même si j'ai des millions de choses à faire! Je dois trouver le sujet de mon prochain article, pondre un texte sur la tolérance pour le cours de français, finir mon devoir de maths et étudier pour l'examen de sciences de lundi. C'est dégueu; je passe la fin de semaine dans mes livres! Je réalise que mon frère avait raison quand il disait que le secondaire 4 était vraiment *tough*.

14 h 59

Olivier (en ligne): T'as un grand frère? Je ne savais pas!

15 h 00

Léa (en ligne): Oui. Il est en première année de cégep.

15 h 00

Olivier (en ligne): Comme ma sœur!

Léa (en ligne): Ah, ouais? Mais je suis sûre que ta grande sœur n'est pas aussi gossante que mon grand frère.

15 h 02

Olivier (en ligne): Tu serais étonnée! Elle s'arrange généralement pour me rendre la vie impossible. Genre finir le jus d'orange ou le lait et remettre le carton dans le frigo avant que j'aie déjeuné, ou alors passer deux heures dans la salle de bain pour se préparer quand je suis pressé. Le pire, c'est quand elle invite ses amies et qu'elles se mettent à crier et à se pitouner ensemble. Si j'ai le malheur de faire un commentaire, ma sœur prend un malin plaisir à m'humilier devant toutes ses copines de dix-huit ans qui me prennent déjà pour un enfant. C'est tellement la honte!

15 h 03

Léa (en ligne): Ah! Ça fait du bien de voir que je ne suis pas la seule à souffrir! Est-ce que ta sœur occupe généralement le téléphone toute la soirée, t'empêchant ainsi d'appeler tes amis?

Olivier (en ligne): Yep! Et comme mon forfait de cellulaire ne m'offre que cent minutes, je dois attendre qu'elle raccroche (généralement après minuit quand il est trop tard pour que j'appelle quiconque) pour avoir une vie sociale.

15 h 04

Léa (en ligne): Wow! Et moi qui rêvais d'avoir une grande sœur... tu es en train de me prouver que c'est aussi pire que d'endurer un Félix!

15 h 05

Olivier (en ligne): Lol! Moi, c'est le contraire; j'aurais toujours voulu avoir un grand frère!

15 h 06

Léa (en ligne): On pourrait échanger! Mais je t'avertis, il va falloir que tu endures les amis de mon frère, dont celui qui se croit tout permis et qui se prend le dalaï-lama.

15 h 06

Olivier (en ligne): Ça ne peut pas être pire que les amies de ma sœur. Elles passent tellement de temps à parler de magasinage, de partys et de gars que je ne suis pas sûre qu'elles ne finiront pas leur cégep avant 2030!

15 h 07

Léa (en ligne): Ha, ha ha ! Si ça peut te consoler, ce matin, Zack, l'ami de mon frère, m'a rebattu les oreilles pendant une heure au sujet des dangers de la surconsommation. Et le pire dans tout ça, c'est que mon père appuyait ses propos. Ils ont complètement gâché mon petit-déjeuner!

15 h 09

Olivier (en ligne): C'est drôle, j'ai l'impression qu'on vit dans le même monde. Ce matin, je me suis fait réveiller à neuf heures par les pleurs de la meilleure amie de ma sœur qui venait de s'engueuler avec son chum. Les deux n'arrêtaient pas de crier: «Les gars sont tous des monstres!» Je te jure que ça met de bonne humeur, ça! Évidemment, mes parents ne disent rien. Ils ne veulent surtout pas contrarier Madame la Princesse.

15 h 10

Léa (en ligne): C'est vrai que ta situation a l'air aussi pire que la mienne.

15 h 10

Olivier (en ligne): On devrait les enfermer ensemble. On aurait la paix!

15 h 11

Léa (en ligne): Ouais! Je me sentirais libre. Je pourrais écouter la télé toute la journée sans m'engueuler pour l'usage de la manette!

15 h 12

Olivier (en ligne): Et moi, je pourrais prendre une douche de plus de trois minutes, parce que je n'aurais pas ma sœur qui me crie dans les oreilles qu'il faut que je me grouille!

15 h 12

Léa (en ligne): J'ai confiance qu'un jour, justice sera faite et qu'on pourra se venger!

15 h 13

Olivier (en ligne): J'espère! Mais en attendant ce jour, on pourra au moins se défouler ensemble!

15 h 13

Léa (en ligne): Ouais, ça soulage tellement! ☺

15 h 14

Olivier (en ligne): ☺

15 h 14

Léa (en ligne): Bon, je te laisse, car je dois absolument retourner à ma montagne de devoirs.

15 h 14

Olivier (en ligne): OK! Bonne chance! C'était cool de te parler!

15 h 15

Léa (en ligne): Ouais. Très cool!

15 h 16

Olivier (en ligne): Bye, Léa! À lundi!

15 h 16

Léa (en ligne): *Ciao!*

Inscris un titre : Invivable !

Écris ton problème : Salut, Manu ! Surprise :
je ne t'écris pas pour te parler d'un problème
amoureux. En fait, je t'écris à cause d'un
problème que je vis avec mon frère. Il a un
nouvel ami qui s'appelle Zack, et ce dernier
passe BEAUCOUP trop de temps chez moi.
Je sens qu'il envahit mon espace, et en plus,
il n'arrête pas de me faire la leçon à propos
de ce que j'achète, de ce que j'aime et de ce
que je mange. Je n'ai vraiment pas besoin
d'un autre grand frère gossant qui contrôle
ma vie. À mon grand désarroi, mes parents le
trouvent « articulé » et « divertissant » et ne
partagent pas mon opinion. Je sais que je
ne peux pas empêcher mon frère de se tenir
avec lui, mais comment pourrais-je lui faire
comprendre que je me sens un peu étouffée,
et que ça me gosse que Zack se permette
de me faire la morale tous les jours ? J'ai
vraiment fait des efforts pour être tolérante
et pour essayer de l'endurer, mais je sens
qu'il ne respecte pas du tout mes opinions

et ça m'énerve. J'espère que tu pourras m'aider !

Léa xox

Manu répond à deux questions par semaine. Tu seras peut-être choisie...

Chapitre 5 :
Querelles et choux de Bruxelles

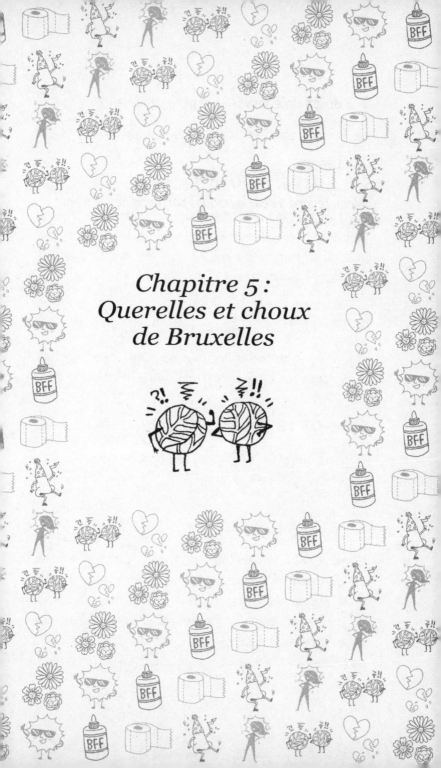

📱 **22-01 12 h 39**

La Terre appelle Léa! La Terre appelle Léa!

📱 **22-01 12 h 40**

Lou! Je suis là! Désolée d'avoir été absente toute la semaine. J'ai tellement de devoirs que je n'ai même pas eu le temps de me connecter sur Skype... ☹ Comment vas-tu?

📱 **22-01 12 h 42**

Mal. J'ai un gros bouton sur le front, mes broches m'exaspèrent et je suis *frue* contre JP. ☹

📱 **22-01 12 h 43**

1- Ton bouton va partir. 2- Tes broches aussi, alors patience! 3- Comment ça?

📱 **22-01 12 h 46**

Comme j'ai une répétition de théâtre cet après-midi, j'ai demandé à JP s'il voulait m'aider à répéter mon texte pendant l'heure du dîner, mais monsieur m'a dit qu'il avait déjà fait des plans pour aller manger avec Thomas. Le problème, c'est que je l'ai vu sortir de l'école avec ton ex, Sarah et... Odile! Je bous, Léa.

📱 22-01 12 h 48

Relaxe, Lou. Ça ne sert à rien de paniquer. Thomas a dû inviter sa blonde sans en parler à JP; et tu connais Sarah, elle s'est sûrement arrangée pour qu'Odile vienne en sachant très bien que ça allait te faire suer. Je suis sûre que ton chum n'a rien à voir là-dedans.

📱 22-01 12 h 50

Ouais, t'as sûrement raison! OK. Je vais essayer de me calmer. Mais je te jure qu'il y a des fois où Odile me fait peur. Elle tourne vraiment autour de JP comme une mouche. Ou pire: comme un maringouin assoiffé!

📱 22-01 12 h 52

Ah! Ben tu as juste à l'écraser, le maringouin! Lou, tu sais à quel point JP est fou de toi. Il t'a même aidée à imaginer un plan pour torturer Sarah Beaupré en théâtre. Il ne faut pas que tu doutes de lui.

📱 22-01 12 h 54

Ouin, t'as raison!... ARGH! Bon, je te laisse. Je vais aller à la salle de bain pour essayer de camoufler mon bouton, puis je vais pratiquer mon texte avec

Steph, qui s'est gentiment offerte. Merci de m'avoir rassurée. Ça m'a fait du bien ! ☺

📱 **22-01 12 h 56**
....

Je suis là pour ça ! Et bonne chance pour le cours. Je suis sûre que ça va bien se passer ! ☺

📱 **22-01 12 h 57**
....

Merci ! Je t'écrirai ce soir pour te raconter ça ! xx

À : Léa_jaime@mail.com
De : Marilou33@mail.com
Date : Jeudi 22 janvier, 21 h 10
Objet : Journée à oublier

Tu sais, quand une journée commence mal, et qu'elle se poursuit dans le même sens parce que tu n'es pas bien dans ta peau, et que tout ce que tu veux, c'est aller te coucher pour y mettre un terme au plus vite ?

Tu auras deviné que le cours de théâtre ne s'est pas *full* bien déroulé. J'avais pourtant bien pratiqué mon texte, mais chaque fois que je devais parler, j'avais des trous de mémoire et je commençais à bégayer. Évidemment, Sarah en profitait pour lancer des commentaires disgracieux.

Moi (en bégayant et en suant) : Euh... Non ! Madame la Reine... euh, je ne suis point... euh...
Sarah (en soupirant et en posant une main sur sa hanche) : Oh !, chère servante, aurais-tu oublié ton texte ? Si tu passais moins de temps à laver les toilettes et que tu accordais plus d'énergie à la mémorisation de la pièce, tu aurais l'air moins nulle.

Évidemment, la classe a éclaté de rire. Et dire que c'est moi qui voulais profiter de mon rôle pour me moquer d'elle.

En rentrant chez moi, j'ai vu qu'il n'y avait personne. Ma mère m'avait laissé une note : *Ton père et moi avons un rendez-vous. Zak est chez son ami Matisse. Il y a du poulet dans le frigo. Maman.*

Pour une fois, j'étais même déprimée de ne pas avoir Zak dans les pattes pour me changer les idées. J'ai appelé JP pour m'expliquer avec lui, mais comme il était encore chez Thomas, j'ai tout de suite ressenti une pointe de jalousie à l'idée qu'Odile puisse être avec eux et j'ai raccroché rapidement avant de piquer une autre crise.

Les deux bonnes nouvelles, c'est que mon bouton est sous contrôle et que je m'apprête à écouter *Mixmania*.

J'espère que ta journée se déroule mieux que la mienne. Je t'embrasse fort et tu me manques !

Lou xox

Samedi 24 janvier

13 h 02

Katherine (en ligne): Léa? T'as reçu l'invitation d'Olivier?

13 h 03

Léa (en ligne): Pour son party en fin de semaine prochaine? Ouais! Je suis vraiment contente! Je me sens un peu amorphe depuis la semaine dernière. Je fais juste lire et étudier. Ça va faire du bien de danser et de faire la fête.

13 h 04

Katherine (en ligne): Mets-en! En plus, t'as même pas à stresser à cause de Maude. Elle a écrit sur le mur de l'événement qu'elle serait à Toronto et qu'elle ne pourrait pas être là!

13 h 04

Léa (en ligne): Oh! C'est-tu plate! ;)

Katherine (en ligne): Je savais que tu serais déçue! ;) Moi aussi je suis contente qu'il y ait un party. J'ai besoin d'action dans ma vie.

Léa (en ligne): Tu croules aussi sous l'étude?

Katherine (en ligne): Mouais!, mais ce n'est pas juste ça. Après Mike, j'avais décidé de faire une croix sur les gars pendant un bout, mais là, j'avoue que ça me tenterait de connaître quelqu'un. Je n'ai pas nécessairement envie d'avoir un chum... Un *kick* ferait l'affaire!

Léa (en ligne): Je te comprends! As-tu quelqu'un en tête?

Katherine (en ligne): Non. Les deux seuls gars que je trouve *cutes* à l'école sont celui de secondaire 5 qui ne sait pas que j'existe et Éloi.

13 h 08

Léa (en ligne): Ah ouais? T'as un *kick* sur Éloi?

13 h 09

Katherine (en ligne): Ben non! J'ai juste dit que je le trouvais *cute*. Comme on est déjà sortis ensemble, ce n'est pas très étonnant comme révélation!

13 h 09

Léa (en ligne): Mais si t'avais un *kick* dessus, tu me le dirais, hein? Parce qu'il ne faut surtout pas que tu te sentes mal à cause de moi! Éloi et moi, nous ne sommes que des amis. Rien de plus.

13 h 10

Katherine (en ligne): Je sais! Et bien sûr que je te le dirais. Mais ce n'est pas le cas. De toute façon, il a une blonde, alors ça ne sert à rien d'en parler.

13 h 11

Léa (en ligne): Ben, peut-être qu'il y aura des gars qu'on ne connaît pas au party d'Olivier! Il a sûrement des amis à l'extérieur de l'école!

13 h 12

Katherine (en ligne): J'espère! Et toi?

13 h 13

Léa (en ligne): Tu me demandes si j'ai des amis à l'extérieur de l'école? Euh! Il y a Marilou, Steph et Laurie. Et aussi quelques amitiés que j'entretiens sur Facebook. Comme Mathias, qui vit en Allemagne, ou Samuel, l'ami que je me suis fait au camp l'été dernier.

13 h 14

Katherine (en ligne): C'est intéressant, tout ça, mais ce n'était pas ma question. Je voulais savoir si tu avais un *kick* sur quelqu'un.

13 h 15

Léa (en ligne): Ah! Excuse-moi. Hum!... Je dirais non.

13 h 15

Léa (en ligne): Ou plutôt, pas vraiment. En fait, je ne sais pas. Je ne suis pas sûre.

13 h 16

Katherine (en ligne): Wow! Quatre réponses plutôt qu'une! Mais aucune d'elles n'est très claire!

13 h 16

Léa (en ligne): Je sais! Excuse-moi! C'est parce que c'est un peu confus dans ma tête.

13 h 17

Katherine (en ligne): Tu parles d'Olivier, n'est-ce pas?

13 h 17

Léa (en ligne): Qui d'autre? ;)

13 h 18

Katherine (en ligne): C'est drôle que tu me poses la question, parce qu'hier après-midi, Marianne m'a justement demandé s'il y avait quelque chose entre toi... et Alex!

13 h 19

Léa (en ligne): Hein? Alex?!? Rapport! Pourquoi elle t'a demandé ça?

Katherine (en ligne): Sûrement parce que vous êtes toujours ensemble et qu'elle ne savait pas si c'était platonique. Et que, comme il s'est déjà passé quelque chose entre vous, elle était curieuse de savoir si c'était vraiment terminé.

13 h 21

Léa (en ligne): Ben, là! Alex et moi, ça date d'il y a plus d'un an, et il est sorti avec Jeanne depuis! Et on est toujours ensemble parce qu'on est des amis, rien de plus. De toute façon, ce n'est pas de ses affaires!

13 h 22

Katherine (en ligne): Je sais. Mais la connaissant, c'était probablement une façon de savoir si Alex était célibataire.

13 h 22

Léa (en ligne): Tu penses qu'elle a des sentiments pour lui?

13 h 23

Katherine (en ligne): Je ne pense pas, non. J'ai cru comprendre qu'elle fréquentait un ami de José qui ne va pas à notre école. Mais je crois qu'elle voulait présenter Alex à l'une de ses amies.

13 h 23

Léa (en ligne): Pfff. Alex mérite mieux qu'une nunuche.

13 h 24

Katherine (en ligne): Je suis d'accord, mais revenons-en à nos moutons... Que se passe-t-il avec Olivier?

13 h 25

Léa (en ligne): Bonne question!... Disons qu'on se parle beaucoup depuis quelques semaines, et c'est cool parce que je découvre plein de choses sur lui. Je réalise qu'à l'automne, je n'ai pas fait beaucoup d'efforts pour apprendre à le connaître parce que j'étais trop occupée à faire suer Maude.

13 h 26

Katherine (en ligne): Et trop occupée à l'embrasser! ;)

13 h 27

Léa (en ligne): Ouais! Là, on fait le chemin inverse. On rigole ensemble et on parle, mais il ne se passe rien entre nous.

13 h 28

Katherine (en ligne): Au moins, ça met de l'action dans ton quotidien. Je donnerais n'importe quoi pour avoir un *kick* platonique. Lol!

13 h 29

Léa (en ligne): Patience! T'es super belle, et tu fais craquer tous les gars. Je suis sûre que tu ne resteras pas célibataire très longtemps!

13 h 30

Katherine (en ligne): T'es fine! Allez, faut que je file. J'ai mon oral de français à préparer. On se voit lundi. *Luv!*

13 h 31

Léa (en ligne): Yep! Bonne étude! ☺ xx

À : Marilou33@mail.com
De : Léa_jaime@mail.com
Date : Lundi 26 janvier, 12 h 15
Objet : Alors ?

Coucou, Lou !
Ça va ? Quand je t'ai parlé samedi, tu avais encore l'air un peu déprimée... Est-ce que ça va mieux avec JP ? Et tes parents ? Sais-tu pourquoi ils s'absentent autant ? Pour ce qui est de la pièce de théâtre, il ne faut surtout pas que tu te laisses abattre à cause d'une répétition. Ça arrive à tout le monde d'avoir des blancs (personnellement, ça m'arrive à chaque oral d'anglais), et je suis certaine qu'avec un peu de pratique, tu te sentiras de plus en plus à l'aise dans ton rôle et tu épateras tout le monde.

Pour le reste, n'oublie pas que c'est janvier, et que le manque de lumière nous affecte tous. C'est du moins ce que Zack nous a appris hier soir en concoctant sa recette de tofu aux herbes. Oui, madame. Marie-Poilu (le nouveau surnom que je donne à Zack et sa blonde) a décidé de cuisiner pour remercier mes parents de leur générosité et pour me prouver que la diète végétalienne avait bon goût. La bonne nouvelle, c'est que, même si mes parents les ont trouvés « adorables » de concocter une recette pour nous (grrr !), Félix a lui aussi fini par admettre que ce n'était pas mangeable et qu'il n'adhérerait jamais à un régime sans viande.

S'en est évidemment suivi un long débat sur l'éthique animale et sur l'importance d'une saine alimentation, mais je suis au moins rassurée de voir que même si Félix côtoie Marie-Poilu, il ne raffole pas soudainement de la luzerne ni des boulettes au seitan. Quand Zack et Marie-Fleur ont enfin levé les pattes (il était temps puisqu'ils ont passé la fin de semaine ici), j'ai décidé de parler avec mon frère pour essayer de comprendre ce qu'il faisait avec des amis pareils.

Moi (en entrant dans sa chambre) : Félix ?

Félix (en gossant sur son ordi) : Hum ?

Moi : Pourquoi tu te tiens avec du monde bizarre ?

Félix : Ils ne sont pas bizarres, Léa. Ils sont juste différents.

Moi : Excuse-moi. Je reformule. Pourquoi tu te tiens avec des gens différents... et bizarres ?

Félix (en levant les yeux vers moi) : Moi, je les aime bien. On a des discussions intéressantes, et ils savent aussi s'amuser.

Moi : Ouais ! Mais qu'est-ce qui est arrivé à tes autres amis. Ceux qui étaient normaux ?

Félix : Tout le monde est ami, Léa. C'est le cégep. D'ailleurs, on a un party ce soir chez Édith.

Moi : Quoi ? Édith est amie avec Marie-Poilu ?

Félix : Qui ?

Moi : Euh ! Marie-Fleur et Zack ? Il me semble qu'ils n'ont pas du tout le même style.

Félix : C'est la beauté du cégep. Le style n'a rien à voir avec les affinités.

Moi : Édith est végétalienne ?

Félix : Non.

Moi : Édith est hippie ?

Félix : Non.

Moi : Édith est contre le principe de s'habiller avec du style ?

Félix (en haussant un sourcil) : Où veux-tu en venir ?

Moi : Ben alors, c'est quoi leurs affinités ?

Félix : Les mêmes que les miennes. Au cégep, tout le monde fait le party ensemble, peu importe ce qu'ils mangent pour souper ou ce qu'ils portent comme chandail.

Moi (songeuse) : Hum ! C'est cool !

Félix : Bon, t'as fini ton interrogatoire ? Il faut que j'appelle Flavie.

Moi : C'est qui, Flavie ?

Félix : La fille *cute* que j'essaie de séduire depuis la dernière session.

Moi : Est-ce qu'elle sent le patchouli ?

Félix : Non !

Moi : Hum ! Ça me rassure. As-tu des nouvelles d'Ingrid ?

Félix : Ouais, un peu ! Elle s'ennuie.

Moi : Et toi ?

Félix : J'essaie de penser à autre chose... comme à Flavie.

Moi : Ouin ! On peut dire que tu as fait ton deuil assez vite !

Félix : Tu connais mon adage !

Je me suis retournée vers lui juste au moment où j'allais sortir de sa chambre.

Moi : Félix ? Une dernière chose...

Félix : Hum ?

Moi : C'est cool que t'aies des amis biza... différents, mais, tu sais, même si tu m'énerves souvent, je préfère que tu restes normal.

Félix (en me regardant d'un drôle d'air) : Est-ce que je dois prendre ça comme un compliment ?

Moi : Genre. Ce que j'essaie de dire, c'est ne change pas trop, OK ? En tout cas, ne deviens pas végétalien.

Félix (en me souriant) : Aucune chance.

J'ai regagné ma chambre, soulagée. Même si Marie-Poilu a décidé d'envahir ma maison et mon frigo, j'ai au moins espoir que Félix ne se transforme pas en Che Guevara des temps modernes.

Pour ce qui est de l'école, j'ai vécu une situation un peu étrange ce matin, à cause du cours d'anglais. La prof venait de nous annoncer que nous devions nous mettre en équipe de deux pour parler d'un pays qu'on rêvait de visiter quand Olivier a lancé un petit papier sur mon bureau.

On se met ensemble ?

J'ai levé le pouce en sa direction pour lui faire savoir que j'acceptais.

Quand j'ai rejoint la gang à la table de la cafétéria après le cours, j'ai annoncé à Jeanne qu'elle avait enfin la chance de prendre une pause de ma pochitude puisque Olivier avait offert de se mettre en équipe avec moi.

Katherine (en me faisant un clin d'œil) : Cool ! ! ! Vous pourrez passer plus de temps ensemble ! Et Jeanne, je pourrai être ta coéquipière !
Jeanne : *Yes*, madame !
Éloi : Et moi ?
Alex : On a juste à se mettre ensemble, *man*. J'ai plein d'idées.
Moi (en niaisant Alex) : Ouais, *man*. Ça va être débile.

Alex m'a pris par le cou et m'a décoiffée pour se venger. Je l'ai repoussé et je lui ai lancé un raisin en contre-attaque.

Olivier s'est aussitôt approché de notre table.

Lui : Salut, tout le monde ! Je suis content que vous veniez tous à mon party samedi ! Ça va être le *fun*, je pense. (En me regardant.) Dis donc, *partner*, tu crois qu'on peut s'appeler cette semaine pour parler de l'oral d'anglais ?

Moi (en me recoiffant et en levant les yeux vers lui) : Oui ! Mais es-tu vraiment sûr de vouloir te mettre en équipe avec moi ? Je pense que tu ne réalises pas à quel point je suis nulle en anglais.

Olivier (en souriant d'un air espiègle, ce qui le rend encore plus mignon) : Oui, je suis sûr. Je me sens prêt à relever le défi. En plus, je me dis que si je t'aide, tu ne pourras rien me refuser.

Alex (en passant son bras autour de mon cou) : N'embarque pas là-dedans, Léa. C'est de l'arnaque.

Il a dit ça d'un ton moqueur, mais je voyais dans ses yeux qu'il défiait un peu Olivier.

Olivier (en regardant Alex et en souriant d'un air confiant – pour ne pas dire arrogant) : Je suis certain que Léa est assez intelligente pour comprendre mon humour.

Moi (en me levant d'un bond, un peu mal à l'aise) : Ouais ! Hum !, on va faire un *deal*, Olivier. Tu m'aides en anglais, et je te promets de t'aider dans une matière qui te fait *rusher*. C'est bon ?

Lui (en tendant sa main vers moi) : *Deal !*

On s'est serré la main en souriant, puis il a rejoint José et ses amis qui étaient assis à la table voisine.

Alex (en jouant avec son sandwich) : Il m'énerve.

Katherine : Arrête ! Tu le connais même pas !

Alex : Je le connais assez pour savoir que c'est le genre de gars qui chasse deux gibiers à la fois.

Moi : Eille ! Je ne suis pas un gibier !

Alex (en me souriant) : Tu sais ce que je veux dire.

Éloi : Alex n'a pas tort.

Jeanne : Ben, voyons ! Vous êtes bien *frus*, tous les deux.

Éloi : Je ne suis pas *fru*. Je dis juste que je n'ai pas complètement confiance en Olivier.

Moi : Ouais ! mais à sa défense, on ne sortait pas ensemble quand il a fréquenté Maude, et disons que je n'ai pas non plus été super cool avec lui. Soyons honnêtes ! Je l'ai utilisé tout l'automne pour rendre Maude jalouse.

Jeanne : Et il a vraiment essayé de se rattraper par la suite. Sa déclaration d'Halloween était tellement *cute* !

Katherine : Ouais !, et il avait l'air sincèrement triste quand je l'ai croisé au cinéma.

Alex et Éloi ont échangé un regard sceptique.

Moi : Les gars, je ne dis pas que vous devez être son meilleur ami. Je dis simplement que depuis qu'on a recommencé à se parler, je réalise que je l'avais jugé un peu vite. Et comme je vous l'ai répété mille fois, c'est un trait de ma personnalité que j'essaie de changer.

Éloi : J'avoue que je gardais mes distances à cause de ce qui s'est passé à l'automne, mais si Léa est prête à lui donner une chance et qu'elle s'entend bien avec lui, alors je peux bien faire un effort pour mieux le connaître.

Moi (en lui souriant) : C'est gentil. Je vous assure qu'il est cool comme gars.

Alex (tout bas) : Même s'il *frenche* mal.

Moi : Alex ! Ça n'a pas rapport !

Katherine : Et si tu *l'haïs* tant que ça, pourquoi tu vas à son party, samedi ?

Alex : Je n'ai pas dit que je le haïssais. J'ai juste dit que je n'avais pas apprécié la façon dont il avait traité Léa. Mais si vous me dites qu'il est cool, je peux bien lui donner le bénéfice du doute, moi aussi. Pour ce qui est de son party, j'y vais parce que mes amis y seront et parce que j'ai envie de me faire du *fun*.

J'ai souri, et Jeanne s'est empressée de changer de sujet pour dissiper le malaise qui s'était installé entre nous. La vérité, c'est que je m'en veux d'avoir autant bitché contre Olivier, car je sais que c'est de ma faute si Alex et Éloi ont des doutes par rapport à lui. D'un autre côté, c'est vrai qu'Olivier n'a pas toujours été honnête avec moi, alors c'est sage de rester sur mes gardes et de m'en tenir à de l'amitié pour l'instant.

J'espère avoir de tes nouvelles très bientôt, car je m'inquiète pour toi. Écris-moi dès que tu peux !

Léa xox

À : Léa_jaime@mail.com
De : Marilou33@mail.com
Date : Mercredi 28 janvier, 19 h 20
Objet : Est-ce que c'est la relâche, là ?

OK. Je capote et je compte officiellement les jours jusqu'à la relâche. J'ai besoin d'une pause de ma vie et de partir de la maison pendant quelques jours.

Désolée d'être aussi rabat-joie, mais je viens de m'engueuler avec ma mère et d'apprendre une nouvelle vraiment pas cool. Tout a commencé quand je suis rentrée de mon entraînement de natation. J'avais juste envie de prendre un bain et de parler au téléphone avec JP (j'ai décidé de ne pas lui avouer que j'étais jalouse d'Odile pour éviter un autre drame dans ma vie), mais ma mère m'a annoncé que je n'avais pas le temps puisqu'elle et mon père devaient encore s'absenter et que j'étais une fois de plus coincée pour aider mon frère à faire ses devoirs et le garder jusqu'à ce qu'ils reviennent.

Moi (d'un air exaspéré) : Mais maman ! Ça fait cinq fois que je le garde en moins de deux semaines, et ce soir, j'ai vraiment envie d'être dans ma bulle. Je suis fatiguée à cause de la natation et stressée à cause de l'école. Est-ce que papa et toi pouvez remettre votre sortie à demain ?

Ma mère : Non, et il est trop tard pour que je trouve une gardienne, alors il va falloir que tu me donnes un coup de main.

Moi : Mais je vous donne TOUJOURS des coups de main !

Ma mère : Je sais, ma grande. Et ne va pas croire que je ne réalise pas à quel point tu nous aides.

Moi : C'est quoi, l'affaire ? Pourquoi vous avez tellement de rendez-vous ces temps-ci ?

Ma mère (en fouillant dans son sac à main, mal à l'aise) : Pour rien...

Moi (en haussant un sourcil) : Maman, qu'est-ce qui se passe ?

Ma mère : Je ne veux pas que tu te fasses de souci. Tout va s'arranger.

Moi (d'un ton ferme) : Ce n'est pas en me donnant des réponses pas claires que je vais me calmer. Explique-moi ce qui se passe, s'il te plaît.

Ma mère m'a regardée avec un air hésitant. J'ai décidé de jouer la carte de l'aînée pour la convaincre.

Moi : Maman, si je suis assez grande pour garder mon petit frère et pour organiser un réveillon sans toi, je pense que je suis capable d'en prendre.

Ma mère s'est assise et m'a fait signe de m'installer auprès d'elle.

Moi : Tu m'inquiètes. Papa n'est pas malade, toujours ?

Ma mère : Non ! Ce n'est pas ça.

Moi : C'est grand-maman ?

Ma mère : Non. Ne t'inquiète pas pour elle. Elle va sûrement finir par tous nous enterrer !

Moi : C'est quoi, alors ?

Ma mère (en prenant ma main) : C'est ton père et moi. Nous avons... des problèmes de grands.

Moi (en la dévisageant) : Maman ! Arrête de me parler comme si j'avais deux ans d'âge mental. Quels problèmes avez-vous ?

Ma mère : Disons que depuis quelque temps... on a plus de difficulté à s'entendre et à se comprendre, alors on voit quelqu'un qui nous aide à mieux communiquer.

J'ai pris quelques secondes pour digérer la nouvelle.

Moi (en refoulant mes larmes) : Quelqu'un genre... un psy ?

Ma mère (en me caressant les cheveux) : Oui, un genre de psychologue qui aide les couples à traverser les crises. Mais je ne veux surtout pas que tu t'inquiètes ni que tu penses que tu as quelque chose à voir là-dedans, car ce n'est pas vrai. Peu importe ce qui arrive entre ton père et moi, une chose est certaine : on vous aime toujours autant, et ce n'est pas du tout de votre faute.

Moi : Je sais ! C'est juste que... ça me fait peur de penser que vous pourriez vous séparer...

J'ai éclaté en sanglots et ma mère m'a serrée dans ses bras tout en s'efforçant d'être rassurante.

Ma mère : Mais non, ma chérie. Il ne faut pas que tu paniques. Ton père et moi, ça fait très longtemps qu'on est ensemble, et nous n'en sommes pas à notre première crise. Présentement, nous travaillons pour que ça aille mieux et pour que notre famille reste unie.
Moi (en séchant mes larmes) : OK.
Ma mère : Et si je t'en parle, c'est simplement parce que je sais qu'on est souvent partis, et que je voulais que tu comprennes ce qui se passe.
Moi : C'est correct. Merci de me l'avoir dit.
Ma mère : Mais ne dis rien à Zak, d'accord ? Je ne veux pas qu'il ait de la peine pour rien ni qu'il se casse la tête avec ça.
Moi : OK. Promis.

Ma mère est partie quelques minutes plus tard, et pour une fois, ça m'a réconfortée de passer du temps avec mon frère. Honnêtement, je savais que mes parents traversaient une petite tempête, mais je ne pensais pas qu'ils en étaient au stade de la tornade. Je sais que ma mère s'entête pour me dire que tout va bien aller. Mais qu'est-ce que je vais faire s'ils se séparent ? C'est niaiseux, parce que presque la moitié des gens de ma classe vivent cette situation, et ça ne m'a jamais traversé l'esprit que ça pouvait m'arriver aussi.

Hum! Je m'ennuie tellement de toi, en ce moment. Je donnerais tout pour que tu sois ici et que tu me réconfortes. Appelle-moi dès que t'en as la chance, OK? (J'ai appelé chez toi, mais la ligne est occupée. Félix doit encore être au téléphone!)

Lou xox

📱 28-01 19 h 46

Lou?!? Je viens de lire ton courriel! Et je viens aussi d'engueuler mon frère pour qu'il raccroche, alors ça ne saurait tarder.

📱 28-01 19 h 46

C'est correct. Je fais des dessins avec Zak. Il va se coucher à 20 h 30. Peux-tu m'appeler à cette heure-là?

📱 28-01 19 h 47

Promis. Mais en attendant, comment te sens-tu?

📱 28-01 19 h 48

Encore un peu sous le choc, mais j'ai parlé avec JP et ça m'a aidée. Il m'a fait réaliser que le plus dur, c'était le choc, mais que j'étais forte et que quoi qu'il arrive, j'allais passer au travers.

📱 28-01 19 h 49

Il a raison, Lou. De toute façon, ça ne sert à rien de capoter pour l'instant. Tu sais que tes parents traversent une crise, mais ça ne veut pas dire qu'ils sont en instance de divorce non plus.

📱 28-01 19 h 50

Ouais, t'as raison! J'ai juste un peu capoté en m'imaginant devoir trimballer mes affaires d'une maison à l'autre... et annoncer ça à mon petit frère.

📱 28-01 19 h 52

T'en es pas rendue là, alors ça ne sert à rien de t'imaginer le pire. Si ça peut te rassurer, mes parents ont déjà fait une thérapie de couple, eux aussi, et ils s'en sont très bien sortis.

📱 28-01 19 h 54

Ah ouais? Tu ne m'avais jamais dit ça!

📱 28-01 19 h 55

Je sais, mais comme on était en troisième année, je ne savais pas quoi faire avec cette information. J'avais finalement décidé de la refouler et d'en parler uniquement à mon journal intime.

📱 28-01 19 h 55

Comment l'avais-tu su?

📱 28-01 19 h 57

Un soir, je me suis levée en cachette pour manger des biscuits aux brisures de chocolat. J'ai surpris mes parents qui discutaient au salon. Ma mère pleurait, et mon père lui expliquait en quoi une thérapie de couple leur serait bénéfique.

📱 28-01 19 h 57

Wow! Intense.

📱 28-01 19 h 59

Ouais! Je ne comprenais pas tout à fait ce que ça impliquait, mais je me doutais que quelque chose clochait. Je me suis sentie à l'envers pendant des jours. C'était un mélange de tristesse et de honte. Heureusement, au bout de quelques semaines, j'ai constaté que les choses allaient mieux et qu'ils n'étaient pas sur le point de se séparer.

📱 28-01 20 h 00

Ça me rassure... C'est vraiment bizarre. On dirait que j'avais oublié que mes parents étaient un couple.

📱 28-01 20 h 01

C'est normal, et je suis comme toi! Dans ma tête, mes parents représentent plus souvent une sorte de front commun pour me dire quoi faire ou pour m'aider quand ça ne va pas. Mais ce qu'il faut se rappeler, c'est qu'ils partagent aussi une histoire et une intimité. Comme JP et toi!

📱 28-01 20 h 02

Beurk! C'est bizarre de penser ça!

📱 28-01 20 h 02

Je sais, mais je pense que ça va t'aider à comprendre et à accepter ce qui se passe entre eux.

📱 28-01 20 h 03

T'as raison. Merci d'être là pour moi. ☺ Bon, je vais aller aider Zak, car c'est bientôt l'heure de le mettre au lit.

📱 28-01 20 h 04

Super. Je t'appelle dans une demi-heure! ☺ JTM!
Xxxx

À : Marilou33@mail.com
De : Léa_jaime@mail.com
Date : Jeudi 29 janvier, 21 h 46
Objet : À bas les choux de Bruxelles

Salut, Lou !

Comment vas-tu depuis hier ? Tu passes la soirée chez Laurie, c'est bien ça ? J'espère que tu arrives à te changer les idées et que tu ne paniques pas trop. Comme je te disais hier, tes parents sont simplement en train de chercher des moyens de sauver leur couple, alors ça ne sert à rien de penser au pire pour l'instant. ☺

De mon côté, je dois te relater quelques petits faits divers, et j'espère qu'ils sauront te divertir et te changer les idées. ☺

Premièrement, Olivier et moi avons décidé d'aller dans un café après l'école pour commencer à discuter de notre présentation orale d'anglais qui aura lieu le 16 février.

Moi (en sortant mes notes) : OK. Il faut trouver un pays qu'on a tous les deux envie de visiter.
Olivier : C'est quoi la première chose qui te vient en tête ?
Moi : C'est un peu cliché, mais j'aimerais vraiment aller en France. En fait, je rêve de voir Paris.
Olivier : Tu as raison. C'est vraiment une belle ville.

Moi : Tu es déjà allé ?

Olivier : Ouais ! J'ai habité là six mois quand j'étais plus jeune.

Moi : Ah ouais ! J'oubliais que tu avais été un citoyen du monde. Est-ce que c'est aussi romantique qu'on le dit ?

Olivier : Je ne pourrais pas te le dire; je n'avais pas de blonde quand j'habitais là-bas. Mais la ville est tellement belle qu'elle te donne envie de tomber en amour.

Moi (en le regardant d'un air impressionné) : Wow ! Chanceux ! Ben là, on ne peut pas choisir la France, puisque tu y es déjà allé. D'ailleurs, comme tu as voyagé partout, ça ne sera pas évident de trouver un pays que tu n'as pas déjà visité.

Lui : Ben non. Je suis juste allé en Europe de l'Ouest et aux États-Unis.

Moi : Alors, on fait quoi pour décider ?

Olivier : J'ai une idée. Sur une feuille, écris cinq endroits que tu rêves de visiter, et je vais faire la même chose de mon bord. Après, on aura juste à comparer les deux feuilles, et si jamais il y a une place qui apparaît sur nos deux listes, ce sera le thème de notre oral !

Moi : Bonne idée !

J'ai écrit mes cinq destinations de rêve sur une feuille : la France, Bali, l'Indonésie, le Mexique, la Thaïlande et l'Angleterre (ça, c'est surtout à cause de Harry Styles).

Quand Olivier m'a tendu sa feuille, j'ai poussé un petit cri de surprise; nous avions trois destinations en commun! Il nous fallait donc choisir entre le Mexique, l'Angleterre et la Thaïlande.

Olivier : Je vote pour le Mexique. Après tout, c'est la destination la plus proche d'ici, alors c'est celle qu'on a le plus de chances de visiter.

Moi : OK! Et en plus, ça va être super facile de trouver des accessoires pour notre présentation. Tu pourrais porter un sombrero, et je pourrais apporter de la sauce piquante et un cactus. OH! Je sais! On pourrait même faire des *fajitas*!

Olivier m'a regardée en riant.

Moi : Excuse-moi. Je m'emballe!

Olivier : Mais non, tu as raison! Je pense que si on ajoute une touche d'humour et plein d'accessoires, ça va nous donner plus de points.

Moi : Hum!... Serais-tu prêt à faire rire de toi et à porter une fausse moustache?

Olivier : Toujours prêt.

J'ai souri en prenant des notes. J'étais contente de voir qu'il était capable de s'amuser et qu'il n'avait pas peur du ridicule (parce qu'on s'entend qu'avec moi, il y a TOUJOURS un peu de ridicule).

On a continué à travailler et à bavarder pendant une bonne heure. On a vraiment beaucoup ri ensemble. J'ai appris plein de choses sur son passé (les endroits qu'il a visités, les choses qu'il a trouvées le plus difficile, etc.). À ma grande surprise, il m'a aussi posé plein de questions sur ma vie avant que je déménage à Montréal. Je lui ai parlé de toi, de mon enfance, et même un peu de Thomas. À l'automne, c'est à peine s'il me demandait comment j'allais avant de m'embrasser, alors je trouve ça cool qu'il prenne le temps d'en apprendre plus sur moi et qu'il m'écoute quand je parle.

On s'est séparés devant le métro. Quand je suis arrivée chez moi, j'étais vraiment de bonne humeur. Ce qui m'amène à mon second fait divers.

En ouvrant la porte de la maison, j'ai tout de suite réalisé qu'après une brève absence de quelques jours, Zack était de retour chez moi. Il était en train de regarder les nouvelles en commentant l'actualité avec mon père tandis que celui-ci coupait des légumes. Félix était quant à lui assis sur le sofa et textait quelqu'un (sûrement Flavie) en souriant.

Mon père : Salut, ma puce ! Le souper va bientôt être servi !
Moi : Cool ! J'ai faim !

J'ai alors aperçu des petites boules vertes sur le comptoir.

Moi : Ark ! C'est quoi, ça ?

Mon père : Des choux de Bruxelles. C'est Zack qui nous en a apporté un sac, alors je me suis dit qu'ils pourraient accompagner le repas.

Moi : Hum ! Je vais passer mon tour.

Zack : Allons, Léa. Il ne faut pas que tu lèves le nez sur ce que tu ne connais pas. Pense à toutes les découvertes que tu ne feras pas en adoptant une telle attitude.

Mon frère s'est levé à cet instant et a pris une carotte sur le comptoir.

Mon frère (en mangeant la carotte) : Désolé, *man*, mais j'appuie ma sœur. Tes légumes ont l'air vraiment dégoûtants.

Zack l'a regardé d'un air surpris.

Félix : Bon, faut y aller, nous. Flavie et ses amies nous attendent au bar.

Moi : Vous allez dans un bar à cette heure-là ?

Félix : J'ai dix-huit ans. Il n'y a pas d'heure pour aller dans un bar.

Moi (en regardant Zack) : Ouais, mais il me semble que pour un gars qui prône un mode de vie sain, c'est pas *full* cohérent de consommer de l'alcool.

Zack (mal à l'aise) : Il faut davantage percevoir le bar comme un lieu de rassemblement que comme un endroit où l'on consomme des boissons alcoolisées.

Félix (en le dévisageant) : Pfff ! Me semble, oui ! Je ne t'ai jamais vu dans un bar sans une bière à la main !

Moi (en m'adressant à Zack) : Wow ! Il me semble que ça va un peu à l'encontre de tes principes, non ? Ce n'est pas toi qui me casses toujours les oreilles avec l'importance d'une saine alimentation ? Pour ton information, Zack, il paraît qu'une bière équivaut à un steak !

Zack (un peu rouge) : Félix exagère... Et ce n'est pas parce qu'on consomme de l'alcool qu'on ne peut pas prendre soin de soi !

Félix (en lui tendant son manteau) : Je suis désolé, *dude*, mais Léa vient de te mettre K.O. Allez ! Dépêche-toi ! On va être en retard ! Et tu sais que Marie-Fleur se transforme en Marie-Frue quand t'es pas à l'heure. Bye, la famille !

Moi : Zack, es-tu sûr que tu ne veux pas repartir avec ton sac de choux de machin ? Il paraît qu'ils sont encore meilleurs accompagnés d'une bonne bière !

Mon père et Félix ont éclaté de rire tandis que Zack réfléchissait pour trouver une réplique cinglante. À mon grand bonheur, mon frère l'a entraîné dehors avant qu'il puisse répondre quoi que ce soit.

Je suis très fière d'avoir réussi à lui clouer le bec, et je suis d'autant plus heureuse d'avoir convaincu mon père de *flusher* les choux de Bruxelles pour le souper.

J'espère que de ton côté, tu as passé une bonne journée et que tu arrives à garder le sourire. Je t'envoie plein d'ondes positives et je pense très fort à toi.

Léa xox

📱 30-01 19 h 41

Coucou! C'est moi! Merci pour ton courriel d'hier. Tes faits divers m'ont effectivement redonné le sourire. ☺

📱 30-01 19 h 43

Yé! Je suis contente! Et que fais-tu de ton vendredi soir? Rendez-vous galant avec JP?

30-01 19 h 44

Non. Il allait jouer au billard avec Thomas et Seb, et pour une fois, il n'a pas insisté pour que je les accompagne...

30-01 19 h 45

Est-ce que Sarah et sa gang sont avec eux?

30-01 19 h 46

Je pense que oui, alors raison de plus pour rester chez moi. La dernière répétition de théâtre a été moins désastreuse que la précédente, mais comme nous n'en sommes qu'aux déplacements sur scène, je n'ai pas encore eu la chance de mettre mon plan à exécution.

30-01 19 h 47

Et tu ne veux pas faire quelque chose avec Laurie ou Steph? Il me semble que ce serait mieux que de ruminer toute seule chez toi...

30-01 19 h 48

Laurie est au cinéma avec Christian et Steph est malade. De toute façon, je ne suis pas toute seule. Mes parents et Zak sont là, et on pensait louer un film en famille.

30-01 19 h 49

Wow! C'est cool, ça! C'est bon signe, non?

30-01 19 h 50

Mouais!... Ma mère est venue me voir dans ma chambre tout à l'heure pour s'assurer que j'allais bien. Elle m'a répété qu'il ne fallait pas m'inquiéter, et qu'une soirée en famille nous ferait du bien à tous.

30-01 19 h 51

Elle a raison! Et qu'est-ce que vous allez regarder?

30-01 19 h 52

Moi, j'aimerais revoir *La note parfaite*. Zak voudrait louer *Indiana Jones*. Mon père nous supplie pour regarder *L'homme d'acier* et ma mère rêve de *Gatsby le magnifique*.

30-01 19 h 53

Wow! Ça ressemble à ma famille! Et qui va remporter la bataille?

30-01 19 h 53

Personne! Je pense qu'on va regarder une comédie sur Netflix.

30-01 19 h 54

Ha, ha, ha!

30-01 19 h 55

Et toi? Qu'est-ce que tu fais?

30-01 19 h 56

Je regarde la télé. J'en profite parce que je suis seule à la maison. Félix est évidemment sorti dans un bar et mes parents ont une soirée chez des amis.

30-01 19 h 57

Cool! Tu peux faire ce que tu veux!

30-01 19 h 58

Ouais! J'ai pris un bain, j'ai écouté ma musique super fort, et maintenant, je m'apprête à zapper pendant plusieurs heures avec un sac de chips sel et vinaigre.

30-01 19 h 59

Une soirée de rêve!

30-01 20 h 00

Mets-en! Et comme ils annoncent une grosse tempête de neige, je compte passer une partie de la fin de semaine en boule devant la télé!

30-01 20 h 01

Tu n'as pas un party demain soir?

30-01 20 h 01

Ouais!, mais rien ne m'empêche d'être légume d'ici là.

30-01 20 h 01

En effet! Mais n'oublie pas de m'écrire quand tu sortiras de ta torpeur végétative.

30-01 20 h 02

Promis!

30-01 20 h 03

Bon, je te laisse! Sinon, on n'arrivera jamais à un consensus familial! Bonne soirée avec tes chips!

30-01 20 h 03

Merci! ☺

Samedi 31 janvier

16 h 02

Jeanne (en ligne): Salut! As-tu hâte à ce soir?

16 h 02

Léa (en ligne): J'avoue que la neige et le froid me donnent envie d'hiberner, mais ça va être cool de danser et d'oublier l'école pendant quelques heures!

16 h 03

Jeanne (en ligne): Mets-en! Le problème, c'est que je ne sais pas quoi mettre.

16 h 04

Léa (en ligne): À ta place, je ne stresserais pas avec ça. Avec ta silhouette, tu pourrais porter un sac de patates et ça t'irait bien!

16 h 05

Jeanne (en ligne): Du tout! Je trouve au contraire que je ressemble à une planche à repasser. J'aimerais aussi avoir plus de fesses. Ça m'énerve d'avoir l'air d'un garçon manqué.

Léa (en ligne): Tu ne ressembles tellement pas à un garçon manqué. La preuve, c'est que je n'ai pas de *kick* sur toi! ;)

15 h 06

Jeanne (en ligne): Niaiseuse! T'es fine, mais ça me complexe quand même de ne pas avoir de formes. Des fois, j'aimerais ça avoir ta silhouette.

15 h 06

Léa (en ligne): Tu délires! Moi, je donnerais n'importe quoi pour avoir moins de hanches. Pour ce qui est de la poitrine, je suis dans la même équipe que toi...

15 h 07

Jeanne (en ligne): On dirait qu'on n'est jamais contentes de ce qu'on a!

15 h 08

Léa (en ligne): Je sais! Pourquoi on est toujours complexées alors que les gars ont l'air d'être si bien dans leur peau?

Éloi vient de se joindre à la conversation

15 h 09

Jeanne (en ligne): Ah! Voici justement un spécimen masculin qui pourra nous aider à éclaircir la question.

15 h 09

Léa (en ligne): Bonne idée! Éloi? Pourquoi les gars ne semblent jamais complexés?

15 h 10

Éloi (en ligne): Je ne crois pas être la meilleure personne pour répondre à votre question... d'autant plus que je me sens dégueu en ce moment.

15 h 10

Jeanne (en ligne): Comment ça?

15 h 11

Éloi (en ligne): Parce que Caro vient de casser avec moi. Elle m'a dit qu'elle était amoureuse de quelqu'un d'autre. Je suis tellement sous le choc. Je vous jure que je n'ai rien vu venir.

Léa (en ligne): QUOI? Mais quand elle est venue à l'école cette semaine, elle avait l'air tellement... amoureuse! Qu'est-ce qui s'est passé?

Éloi (en ligne): Je ne sais pas. Elle dit qu'elle a eu un coup de foudre. Un gars que je ne connais pas. Elle prétend que je n'ai rien à me reprocher, mais qu'elle ne se sent pas honnête de rester avec moi alors qu'elle pense à un autre.

Jeanne (en ligne): Je suis désolée, Éloi. C'est vraiment poche.

Léa (en ligne): Pourquoi tu ne viens pas chez moi? Félix est ici, en plus. Ça va te changer les idées, et on pourra aller au party d'Olivier ensemble.

Éloi (en ligne): Bof! Je n'ai pas trop le cœur à la fête.

15 h 15

Jeanne (en ligne): Ah, non! Pas question qu'on te laisse pleurer dans ton coin. La meilleure façon de surmonter une peine d'amour, c'est de pouvoir compter sur tes amis pour te changer les idées. Il faut absolument que tu te secoues les puces et que tu ailles chez Léa. D'ailleurs, je vais vite aller me doucher et vous rejoindre le plus rapidement possible.

15 h 16

Léa (en ligne): Jeanne a raison. Qui de mieux que tes amis (tous célibataires de surcroît) pour te remonter le moral et te convaincre que tu n'as pas besoin de Caro pour être heureux?

15 h 17

Éloi (en ligne): OK. OK! Je me change et j'arrive.

15 h 18

Léa (en ligne): Cool! Je vous attends! xx

À : Marilou33@mail.com
De : Léa_jaime@mail.com
Date : Dimanche 1er février, 15 h 35
Objet : Dilemme moral

Salut, Lou !

J'ai tellement de choses à te raconter que je ne sais pas par où commencer. Samedi après-midi, Éloi m'a annoncé que sa blonde l'avait laissé pour un autre. Il était vraiment triste, mais Jeanne et moi l'avons convaincu de venir chez moi avant le party d'Olivier pour se changer les idées.

J'avoue que je ne l'avais jamais vu comme ça (même pas quand nous avons cassé). Il avait les yeux rouges et la mine basse. Jeanne et moi avons tout fait pour essayer de le faire sourire, mais c'est finalement Félix qui l'a sorti de sa léthargie en l'invitant à jouer au hockey sur la console. Rien de mieux qu'un peu de rudesse sur la glace pour lui faire retrouver le sourire.

Pendant ce temps-là, Jeanne et moi nous sommes préparées pour le party. Je lui ai prêté ma robe rayée blanc et rouge, et je lui ai emprunté ses jeans gris que j'adore tant. J'ai offert à Félix de se joindre à nous et de venir faire un tour chez Olivier, mais apparemment, nos partys sont devenus trop « juvéniles » pour lui.

Félix : Non, merci. J'ai déjà un party cool de prévu. D'ailleurs, Éloi, je pense que tu devrais venir avec moi.

Moi : Notre party est aussi cool que le tien. Et n'essaie pas de me piquer mon ami !

Félix : À mon party, les gens sont adultes et les filles sont *cutes*. Je pense que c'est de ça dont Éloi a besoin.

Moi : Non ! Éloi a besoin d'être avec ses amis.

Jeanne : Euh ! Peut-être qu'on pourrait demander à Éloi ce qu'il préfère ?

Éloi (les yeux dans la graisse de bine) : Hein ? Euh ! Je ne sais pas.

Félix (en passant son bras autour de son cou) : Des pitounes et de la bière, ça te tente pas ?

Éloi : Euh ! Ouais !

Moi : Ark ! Vous êtes tellement machos !

Je me suis approchée d'Éloi et j'ai posé une main sur son épaule.

Moi : T'as pas plutôt envie de te défouler avec tes VRAIS amis ?

Éloi : Euh ! Ouais !

Jeanne : Lequel des deux te tente le plus ?

Éloi : Je ne sais pas. Je ne suis comme pas en état de prendre une décision.

Félix : Alors, je vais en prendre une pour toi. Va faire un tour à ton party plate, et après, je viens te chercher et on sort entre *boys*.

Éloi m'a lancé un regard piteux pour avoir ma bénédiction.

Moi (en soupirant) : OK. Mais tu viens d'abord avec nous !

Quand nous sommes finalement arrivés chez Olivier, il y avait déjà plein de monde réunis dans le salon.

Olivier (en nous accueillant) : Hey ! Bienvenue chez nous !
Moi : Salut ! C'est cool que tes parents te laissent faire un party !
Olivier : Ouais ! On est libres jusqu'à minuit !

Je suis allée rejoindre Katherine et j'ai passé une bonne heure à danser et à rire avec elle. À un moment de la soirée, j'ai remarqué qu'Alex était en pleine discussion avec une grande brunette que Marianne avait invitée. La nouvelle venue portait des skinny super à la mode, des bottes en cuir à talons (il n'y a rien de trop beau pour les nunuches) et un chandail des années 80 qui tombait sur son épaule. Elle respirait la confiance en elle et me tapait profondément sur les nerfs.

Moi (à Katherine) : Est-ce que c'est la fille que Marianne voulait présenter à Alex ?
Katherine : Ça doit, parce qu'elle colle Alex depuis le début de la soirée. Je demanderais bien à Marianne pour en être certaine, mais elle a l'air occupée.

J'ai regardé vers ma droite, et j'ai aperçu Marianne qui embrassait un gars.

Moi : C'est son chum ?
Katherine : Ouais ! Il fait partie de la gang de José. Les gars qui boivent de la bière et qui jasent avec Lydia et Sophie font aussi partie de sa « joyeuse bande ».

Même si j'étais entourée de nunuches, l'absence de Maude me permettait tout de même de garder ma bonne humeur. J'en ai d'ailleurs profité pour rire et danser avec Katherine et Jeanne pendant une bonne partie de la soirée. À un moment donné, Lydia a fait jouer un *slow* de One Direction, et Olivier en a profité pour m'inviter à danser.

Je me suis collée contre lui et j'ai fermé les yeux pour mieux profiter du moment. Quand je les ai rouverts, j'ai vu Katherine qui dansait avec Éloi. Voilà une façon efficace de lui remonter le moral ! J'ai posé ma tête sur l'épaule d'Olivier, et mes yeux ont croisé ceux d'Alex, qui dansait avec la grande brunette. Je l'ai questionné du regard, mais il a décidé de m'ignorer. Il en a plutôt profité pour pencher son visage vers celui de sa partenaire de danse et pour la *frencher* à pleine bouche.

J'ai fait une grimace et j'ai resserré mon étreinte. Olivier a répondu à mon geste en posant un baiser sur ma tempe. J'ai alors senti mon cœur s'accélérer.

S'apprêtait-il à m'embrasser, lui aussi ? Allait-il enfin s'assumer devant tous les autres ? Et si ça se déroulait aussi mal qu'à l'automne et que la chimie entre nous était toujours aussi... nulle ? Est-ce que j'avais vraiment envie qu'il m'embrasse ? Et surtout, est-ce que j'étais prête à changer la nature de notre relation alors que je sentais enfin qu'on s'entendait bien ? Pour une fois, la réponse m'est apparue assez claire.

Je me suis donc détachée un peu de lui en espérant qu'il comprenne que je préférais que ça reste platonique entre nous.

Nous avons terminé notre *slow*, puis je me suis rendue à la salle de bain pour reprendre mes esprits. J'ai ouvert la porte des toilettes, et je suis tombée nez à nez avec José, qui était en train d'embrasser une autre amie de Marianne. Je suis restée figée quelques instants, puis je suis repartie en me confondant en excuses. J'ai aussitôt croisé Alex qui me souriait d'un drôle d'air.

Alex : Alors, t'as finalement décidé de redonner une vraie chance à Olivier ?
Moi : Hein ? Non ! De quoi tu parles ? Olivier et moi, nous sommes amis. Rien de plus.

Alex est resté silencieux.

Moi : Euh, Alex ? Est-ce que tu sais si Maude sort encore avec José ?

Alex : Ouais, ils ont repris pendant les fêtes. Pourquoi tu me demandes ça ?

Moi : Pour rien... Je voulais juste savoir.

Alex (sur un ton un peu agressif) : C'est quoi, l'affaire ? T'as un *kick* sur José, maintenant ? T'es ben difficile à suivre, coudonc.

Moi : Ark ! Es-tu fou ? Plutôt manger des choux de Bruxelles que de sortir avec José !

Alex (tout bas) : C'est bon à savoir.

Moi (d'un ton irrité) : Il me semble que pour un gars qui change de blonde chaque semaine, tu es mal placé pour me dire que je suis difficile à suivre !

Alex : Rapport ! Je n'ai pas de blonde.

Moi : Alors c'est qui la brunette qui t'embrassait passionnément dans le salon d'Olivier ?

Alex : Elle s'appelle Marguerite. C'est une amie de Marianne que je trouve *cute* et super cool, mais ce n'est pas encore « ma blonde ».

Coudonc, c'est quoi cette nouvelle mode de prénoms floraux ?

Éloi est venu nous interrompre.

Éloi : Hey ! Félix vient me chercher dans quelques minutes, alors je voulais vous dire bye.

Moi : Je vais partir avec vous. J'ai eu mon lot d'émotions pour la soirée, et comme Félix utilise l'auto des parents, il ne peut pas chialer si je lui demande un *lift*.

J'ai invité Jeanne à dormir chez moi, et ce n'est qu'une fois en pyjama que j'ai pu lui relater ma courte conversation avec Olivier et ma petite dispute avec Alex.

Je lui ai aussi raconté que j'avais été témoin du baiser entre Alex et Marguerite ainsi que du *french* entre José et la fille mystère.

Jeanne (les yeux écarquillés) : Je n'en reviens pas ! José a trompé Maude, et t'en as été témoin ?
Moi : Ouais ! Et même si Maude est loin d'être ma *best*, il me semble qu'elle mérite mieux, non ? ! Qu'est-ce que je devrais faire, selon toi ?
Jeanne (en réfléchissant) : C'est dur à dire. Si tu ne lui dis pas, José s'en sort une fois de plus sans conséquence et Maude se fait niaiser sans le savoir. Mais si tu lui dis, c'est sûr que ça va causer un drame.
Moi : Tu la connais mieux que moi. Penses-tu que c'est le genre d'information qu'elle aimerait savoir ?
Jeanne : Hum ! Avant, c'est sûr que oui, mais aujourd'hui, je ne suis pas si certaine. Elle a tellement changé...
Moi (en enfonçant ma tête sous mon oreiller) : ARGH ! Pourquoi a-t-il fallu que j'aille à la salle de bain à ce moment-là ?

Jeanne : Parce que tu as une vessie incontrôlable ?

J'ai éclaté de rire.

Moi : Ouais ! Ça doit être ça. Et selon toi, pourquoi Alex m'a-t-il attaquée comme ça ?

Jeanne : Je ne sais pas. Il sentait peut-être que tu le jugeais ?

Moi : Ouais, peut-être ! Toi, ça ne te fait rien de le voir avec une autre fille ?

Jeanne : Du tout ! Je te jure que c'est comme si on n'était jamais sortis ensemble.

Moi : Wow ! T'es forte !

Jeanne : Pourquoi ? Ça t'a énervée de le voir avec une autre ?

Moi : Pas avec « une autre ». Avec elle ! Mademoiselle-parfaite-qui-est-la-meilleure-amie-de-Marianne-et-qui-est-tellement-cool-et-tellement-sûre-d'elle. S'il fréquentait autre chose que des nunuches, je te jure que ça ne me ferait pas un pli, mais là, c'est comme s'il fraternisait avec l'ennemi.

Jeanne : Parlant de nunuche... Je n'en reviens toujours pas pour José et Maude. Leur relation a toujours été explosive, mais je trouve qu'il la traite vraiment mal depuis quelque temps. Et je ne comprends pas pourquoi elle accepte ça.

Moi : Peut-être qu'elle l'accepte parce qu'elle ne sait pas à quel point il est malhonnête. Et c'est pour ça que je me sens mal de ne pas lui dire. Si j'étais à la place de Maude, je pense que je préférerais savoir que mon chum me trompe.

Même si nous avons discuté de mon dilemme moral pendant une bonne partie de la nuit, on dirait que j'ai encore de la misère à me décider. Qu'est-ce que tu ferais à ma place ?

J'espère que le reste de ta fin de semaine se déroule bien et que la trêve familiale se poursuit. J'attends de tes nouvelles !

Léa xox

Chapitre 6 :
Conflits et
cœurs brisés

À : Léa_jaime@mail.com
De : Marilou33@mail.com
Date : Mardi 3 février, 18 h 35
Objet : Marilou contre Sarah, scène 1

Salut !

Après avoir longuement réfléchi à ton dilemme, je crois que tu devrais en parler à Maude. Je sais que sa réaction risque d'être assez explosive, mais au bout du compte, je pense que c'est la meilleure chose à faire. Après tout, si nous étions à sa place, nous préférerions toutes les deux le savoir. Et il se peut que même sous ses airs de diablesse, Maude soit humaine et qu'elle en vienne un jour à apprécier ta loyauté et le fait que tu défendes ses intérêts !

Pour ce qui est d'Éloi, je compatis sincèrement pour sa peine ; on sait à quel point c'est difficile de se remettre d'une peine d'amour. Et en ce qui concerne Alex, je suis un peu du même avis que Jeanne ; il a peut-être réagi comme ça parce qu'il s'est senti jugé ou attaqué. Mais je n'excuse pas son comportement, car j'avoue que je le trouve aussi un peu bizarre. Et Marguerite m'énerve déjà ! Elle me fait penser à Odile, ou pire à Sarah Beaupré ! Grrr ! Est-ce que tu penses que ces filles-là se lèvent le matin avec une coiffure impeccable comme dans les films ? Ou est-ce qu'elles ont aussi parfois des boutons, des bourrelets ou des points noirs qui les complexent ?

En tout cas, je peux te dire que mon atelier de théâtre d'aujourd'hui avec Sarah ne m'a pas aidée à la percevoir comme l'une des nôtres. Je t'explique ! Avant qu'on commence vraiment à interpréter nos rôles, la prof a voulu consacrer un cours aux émotions.

La prof : Vous inspirer de vos sentiments vous aidera à mieux vous exprimer sur scène. Je vais donc vous demander d'interpréter l'un après l'autre les émotions suivantes : premièrement, la joie !

Les autres élèves se sont mis à rire et à sauter de joie à tour de rôle, mais quand mon tour est arrivé, j'ai fait un sourire un peu forcé. J'avoue qu'étant donné ma situation familiale, je ne me sens pas comme une boule de bonheur en ce moment et que ç'a été plutôt difficile de feindre la gaieté.

La prof : Marilou, essaie de penser à un moment heureux, ça va t'aider.
Moi : Donc je peux puiser dans mes souvenirs ?
La prof : Bien sûr.

J'ai fermé les yeux et je me suis remémoré le jour où tu m'avais fait un dessin de la prof dans le cours de maths en secondaire 2 (Madame Poire) et que j'avais tellement ri que j'avais craché mon jus de pomme. Évidemment, elle s'était fâchée contre moi et m'avait collé une retenue !

La prof : Ça fonctionne ! Ton visage est lumineux !

Sarah : Je dirais plutôt qu'il est huileux. Tu sais, Marilou, si tu utilisais un peu de tonique, ça ferait le plus grand bien à tes pores.

Moi : Et toi, si tu utilisais ta tête, ça ferait le plus grand bien à tes notes.

Vlan dans les dents !

La prof : Bon, ça suffit, vous deux ! Sarah, c'est à ton tour. Pense à quelque chose qui t'a rendue heureuse.

Sarah (en fermant les yeux) : Facile. Le départ de Léa Olivier.

J'ai serré les poings et je l'ai fusillée du regard.

La prof : Et maintenant, pense à quelque chose qui te rend triste.

Sarah : Ce n'est pas évident. Je suis quelqu'un d'extrêmement positif.

Moi (en chuchotant près de son oreille) : Pense à la faute dans ton tatouage. Ou au fait que Thomas aime mieux passer du temps avec des voitures brisées qu'avec toi.

Sarah commençait à pomper de plus en plus.

Moi : Non, Sarah ! Ça, c'est de la colère ! Pas de la tristesse.

Sarah (en rouvrant les yeux et en les rivant sur moi) :
Et toi, imagine ton chum avec ma *best*. Je pense que ça
va t'aider à ressentir la perte d'un être aimé.

La prof (d'un air découragé) : Bon, je pense que vous
maîtrisez déjà bien vos émotions. Allez plutôt m'écrire
un résumé de ce que votre personnage peut ressentir
dans les différentes scènes que vous avez à interpréter.

Elle s'est éloignée pour venir en aide aux autres élèves,
et je me suis contentée de faire une grimace à Sarah
avant de m'installer dans un siège avec mon cahier de
notes. Elle m'énerve, Léa ! Elle m'éneeeeeeerrrrrve !

Bon, je dois filer, car j'ai un entraînement de natation.
J'ai espoir que ça m'aidera à me défouler un peu !

Je t'embrasse !
Lou xox

Vendredi 6 février

Katherine (en ligne): Hey! Où étais-tu passée? Je t'ai appelée 100 fois sur ton cellulaire!

19 h 03

Léa (en ligne): Ne m'en parle pas! Avant de partir à l'école ce matin, j'ai réalisé que «quelqu'un» avait débranché mon cellulaire hier soir en rentrant pour utiliser MON chargeur! Résultat: ma batterie était à plat!

19 h 04

Katherine (en ligne): Hum!... Laisse-moi deviner: Félix?

19 h 05

Léa (en ligne): Même pas! Si au moins c'était mon frère, je pourrais gérer, mais là, c'est son ami qui se croit tout permis qui a priorisé son cellulaire sous prétexte qu'il devait partir tôt ce matin et qu'il avait juste «oublié» de rebrancher le mien!

Katherine (en ligne): Tu parles de Zack, j'imagine? J'en déduis qu'il colle chez toi même depuis la rentrée du cégep?

19 h 07

Léa (en ligne): Je dirais même que c'est pire depuis que les cours ont repris, car Zack commence souvent très tôt le matin et que c'est plus «pratique» de dormir chez moi comme le collège n'est pas très loin. En plus, Félix et lui ont deux cours ensemble cette session, alors je sens que je vais tout le temps l'avoir dans les pattes!

19 h 08

Katherine (en ligne): Et où dort-il depuis qu'il a déserté ton lit?

19 h 08

Léa (en ligne): Dans la chambre de Félix. Il lui a installé un petit lit de camp par terre.

19 h 09

Katherine (en ligne): Avoir su, je t'aurais appelée chez toi au lieu de m'acharner sur ton cell!

19 h 09

Léa (en ligne): De toute façon, tu ne m'aurais pas eue, car je viens à peine de rentrer à la maison.

19 h 10

Katherine (en ligne): Oh! Je t'ai vue partir avec Olivier après l'école! Étais-tu avec lui pendant tout ce temps?

19 h 12

Léa (en ligne): Ouais!, car avec nos millions de devoirs, c'était le seul moment où on pouvait se voir pour notre oral d'anglais. Mais je n'ai rien de bien passionnant à te relater, parce qu'on s'est vraiment concentrés sur le texte de notre présentation! On va essayer de continuer la semaine prochaine et de se rencontrer au moins une fois juste avant notre exposé pour nous exercer. Mais assez parlé de moi! Avais-tu quelque chose de palpitant à me raconter?

19 h 13

Katherine (en ligne): Deux choses! La première est une question. Comme je t'ai vue parler à José ce midi près des casiers, j'étais curieuse de savoir ce qu'il t'avait dit.

Léa (en ligne): Il m'a répété la même chose que les jours précédents : « Léa, s'il te plaît, ne dis rien à Maude. Je te jure que c'est mieux qu'elle ne le sache pas. Je peux te faire confiance, hein ? » Sur quoi j'ai encore répondu : « Euh ! Je ne me sens pas *full* à l'aise de parler de ça, José. Ce n'est pas de mes affaires. »

19 h 15

Katherine (en ligne): T'as décidé de ne pas en parler à Maude ?

19 h 17

Léa (en ligne): Je change d'idée toutes les heures ! Ce matin, j'étais convaincue que c'était mieux de lui avouer parce que je trouvais qu'elle faisait pitié de se faire jouer dans le dos de cette façon. Mais quand je l'ai croisée dans les toilettes des filles et qu'elle m'a traitée de petit fruit pourri, j'ai décidé qu'elle méritait son sort !

19 h 18

Katherine (en ligne): Ouais !... C'est difficile d'avoir de l'empathie pour elle.

19 h 19

Léa (en ligne): Et c'est quoi la deuxième chose dont tu voulais me parler?

19 h 19

Katherine (en ligne): Imagine-toi donc qu'à force de vouloir un *kick*, je pense que je m'en suis créé un!

19 h 20

Léa (en ligne): Qui ça?

19 h 21

Katherine (en ligne): Le gars de secondaire 5 que je trouvais beau! Mercredi midi, on s'est rentrés dedans en essayant de prendre un plateau à la cafétéria, et j'ai senti une sorte de décharge électrique. Comme je ne savais pratiquement rien à propos de lui, j'ai demandé à Alex d'enquêter. Il m'a dit qu'il s'appelait Nathan et qu'il jouait souvent au basket le midi, au gymnase. Je t'annonce donc que la semaine prochaine, tu m'accompagneras au gym pour l'espionner.

Léa (en ligne): Ça va me faire plaisir de t'aider. Yé! Je suis contente que tu aies un *kick*!

Katherine (en ligne): Moi aussi! Maintenant, je pourrai participer à la conversation quand Jeanne et toi parlerez de vos futurs chums.

Léa (en ligne): On se calme! N'oublie pas que j'ai décrété qu'Olivier n'était qu'un ami, et que dans le cas de Jeanne, son Xavier a une blonde!

Katherine (en ligne): Ouais, je sais. Mais il n'y a que les fous qui ne changent pas d'idée, et je sais que tu es loin d'être folle!

Léa (en ligne): Mouais!... Ça reste à voir. ;) Et quels sont tes plans pour la fin de semaine?

19 h 26

Katherine (en ligne): J'ai un projet d'art à finir et Jeanne et moi devons bosser sur l'exposé d'anglais, car on n'a rien fait encore! Toi?

19 h 27

Léa (en ligne): Demain, j'accompagne ma mère en ville pour voir une exposition, puis on est censées aller au cinéma avec mon père, mais dimanche, je compte fuir le domicile familial puisque j'ai entendu dire que Marie-Poilu venait ici pour faire un travail de philosophie.

19 h 28

Katherine (en ligne): Tu veux te réfugier chez moi? On pourrait s'organiser une journée de vernis à ongles et de bitchage contre Zack!

19 h 29

Léa (en ligne): J'embarque TELLEMENT!

19 h 29

Katherine (en ligne): Cool! Je te laisse, car mes parents m'attendent pour souper! J'ai hâte à dimanche! *Luv!*

19 h 30

Léa (en ligne): Moi aussi!

À : Marilou33@mail.com
De : Léa_jaime@mail.com
Date : Lundi 9 février, 17 h 33
Objet : José, le gars désespéré

Salut !
Tout d'abord, laisse-moi te répéter la même chose que sur Skype : ne te laisse pas abattre par Sarah Beaupré ! Tu connais ses faiblesses et tu as assez de caractère pour la remettre à sa place, alors il ne faut surtout pas que tu rendes les armes ! ;)

Comme on s'est parlé un gros total de sept minutes et demie au cours de la dernière semaine (vive le *rush* de l'hiver), je vais essayer de te mettre au courant des derniers développements.

Premièrement, José continue à s'acharner sur mon cas depuis le party d'Alex. Il voit bien que j'hésite encore à tout dévoiler à Maude, et ça le rend très nerveux. Je t'avoue toutefois que lorsqu'il défend son cas, il m'apparaît presque vulnérable, ce qui me laisse perplexe. Même si ses agissements me dégoûtent, je dois tenir compte du fait qu'il semble sincère et que contrairement à sa blonde, il ne me compare jamais à un fruit en décomposition. Bref, je suis toujours ambiguë dans ma décision, mais il est temps que je me branche.

Deuxièmement, il y avait une sorte de froid entre Alex et moi depuis le party d'Olivier. La semaine dernière, on se côtoyait à cause de la gang sans s'adresser directement la parole, mais aujourd'hui, on a enfin enterré la hache de guerre. J'étais en train de ranger mes livres avant la pause du dîner quand il est arrivé derrière moi.

Alex (en pointant ma boîte à lunch) : Riz au poulet ?
Moi : Nah ! Riz chinois aux crevettes. La spécialité de ma mère. Toi ?
Alex (en me tendant un sac Ziploc contenant deux tranches de pain écrasées) : Un sandwich pas de croûte au beurre d'arachide et à la confiture de fraises. C'est ce qui arrive quand je me réveille en retard. Tu veux échanger ?
Moi : Ark. Pas question.

J'ai esquissé un petit sourire et j'ai baissé les yeux.

Alex : Ça va durer combien de temps, notre... « chicane » ?

Il a dit ça en faisant des signes de guillemets avec les doigts.

Moi : Ben, ce n'est pas vraiment une « chicane »...
Alex : Je sais, mais c'est comme... pas le *fun*.
Moi : Je suis tout à fait d'accord avec toi.

Alex (en me tendant la main) : On fait la paix ?

Moi (en secouant sa main) : Drapeau blanc.

Alex (en souriant) : Je suis désolé pour l'autre soir...

Moi (en l'interrompant) : Je m'excuse aussi. Je n'aurais pas dû t'attaquer comme ça.

Alex : OK. On va manger ?

Moi : Tu vas vraiment manger... ça ?

Alex : Non. Je vais manger la moitié de ton riz chinois.

Moi (en lui donnant une bine) : Eille !

Alex (en faisant une moue de chien battu) : Si tu acceptes, je t'offre un brownie pour dessert !

Moi (d'un ton moqueur) : Hum ! Je commence à soupçonner que tu aies voulu te réconcilier avec moi pour me voler mon lunch !

Alex (d'un air faussement insulté) : MOI ? Je ne ferais jamais ça !

J'ai ri et j'ai passé mon bras sous le sien. On a tourné le coin et on est tombé nez à nez avec Olivier, qui discutait avec Marianne. Dès qu'elle m'a vue, son sourire s'est estompé et elle m'a dévisagée de la tête aux pieds.

Marianne : *Bad hair day*, Léa ?

Moi (les yeux ronds) : Euh !... Hein ?

Alex (en me soufflant dans l'oreille) : Elle insulte tes cheveux.

Grrr n° 1. Tout ça parce que Félix avait gossé quinze minutes dans la douche et que je n'avais pas eu le temps de me coiffer comme du monde.

Olivier (en me regardant) : Moi j'aime ça, ton chignon.
Alex (toujours dans mon oreille) : *Suck up !*
Moi (en regardant Alex) : Hein ?
Alex (en levant les yeux au ciel, puis en me traduisant tout bas) : Lèche-bottes !

Ouf ! La situation devenait de plus en plus tendue.

Marianne (en prenant Alex par l'autre bras et en l'attirant vers elle) : Alex, on se voit toujours vendredi ? Ça va être cool d'aller au cinéma tous les quatre. Et je sais que Marguerite a très hâte de te revoir !

Grrr n° 2. J'en déduis que sa fleur gossante n'a pas encore fané.

Alex (un peu gêné) : Ouais ! Ça fonctionne.
Olivier (en ne détachant pas son regard du mien) : Léa ? Je peux te parler deux secondes ?
Alex : Euh ! C'est parce qu'on allait manger, elle et moi.
Marianne : Pas grave. Je vais te kidnapper en attendant !

J'ai regardé d'un air dégoûté la nunuche entraîner mon ami vers la cafétéria.

Olivier : Ça va ?

J'ai porté mon attention sur lui. Il me regardait avec un drôle d'air.

Moi : Ouais ! Excuse-moi. C'est juste... elle. On n'est pas les meilleures amies du monde.
Olivier : Ouais ! Je m'en doutais.
Moi : Mais assez parlé d'elle ! Qu'est-ce que tu voulais me dire ?
Olivier : Es-tu libre samedi ?
Moi : Euh !, je pense que oui. Tu veux qu'on travaille sur l'exposé ? C'est une bonne idée, surtout qu'on passe le lundi suivant !
Olivier : Ouais !, ce serait cool. Et si on finit plus tôt, on pourrait peut-être faire quelque chose ensemble.
Moi : OK !
Olivier : Cool ! Tu viendras chez moi. On se confirme l'heure cette semaine !

J'ai souri en guise de réponse et j'ai rejoint Jeanne et Katherine qui mangeaient un peu plus loin.

Moi (en m'assoyant) : Et Alex ?

Katherine a désigné la table des nunuches du menton. Alex était assis à côté de Marianne, tandis qu'Olivier s'installait auprès de José, qui avait son bras autour des épaules de Maude. J'ai vite détourné le regard.

Il y avait beaucoup trop d'éléments perturbants dans cette scène.

Moi : Pour un gars qui voulait la moitié de mon riz, il a vite été distrait par les nunuches.

Jeanne : Ne t'en fais pas. J'ai été témoin de tout, et je te dirais que Marianne l'a plutôt traîné de force à sa table.

Katherine : Tu ne voulais pas inviter Olivier à manger avec nous ?

Moi : Non ! J'aurais trop peur qu'il traîne Monsieur Gigolo avec lui. De toute façon, on doit se revoir cette semaine pour l'exposé, et je suis censée aller chez lui samedi.

Jeanne et Katherine (en écarquillant les yeux) : Samedi ?

Moi : Euh ! Ouais ! Pourquoi vous me regardez comme ça ?

Jeanne : Parce que samedi, c'est la Saint-Valentin.

Moi (en m'étouffant presque avec un grain de riz) : *OMG !* Je n'avais même pas fait le lien !

Katherine : C'est lui qui t'a invitée ?

Moi : Ouais !, mais c'était pour le travail d'anglais...

Jeanne : *Yeah, right !* Enlève tes œillères, Léa ! Olivier te court après depuis le retour des fêtes !

Éloi (en s'assoyant à côté de moi avec son lunch, la mine toujours aussi basse) : De quoi vous parlez ?

Moi (en répondant rapidement avant que les filles n'interviennent) : De rien. Juste du fait que je n'ai pas eu le temps de me coiffer comme il faut ce matin.

Éloi (sans même me regarder) : Hum ! OK.

Katherine, Jeanne et moi avons échangé un regard entendu. Nous n'en pouvions plus de voir notre ami dans cet état, et il était temps d'agir.

Katherine : Éloi, vendredi soir, on te kidnappe !
Éloi : Hein ? Comment ça ?
Jeanne : Pas de question. On va s'occuper de toi, c'est tout. Alors, ne planifie rien d'autre.

J'espère que notre intervention lui fera réaliser qu'il vaut mieux qu'une fille qui le laisse tomber comme une vieille chaussette.

Et toi ? Comment s'est déroulée ta fin de semaine ? As-tu passé du temps en famille ? Est-ce que les choses demeurent stables ? Écris-moi vite !

Léa xox

P.-S. : Tu arrives samedi le 28 ou dimanche le 1er ? Tu restes combien de temps ? AH ! ! ! J'ai tellement hâte de te voir !

📱 09-02 22 h 01

Bonne fête, Thomas! J'espère que tu passes une super journée. Plus qu'un an avant la majorité! Hourra! Léa xox

📱 09-02 22 h 04

Merci! ☺ Ouais, j'ai passé une journée pas pire, même si j'avais un exam d'éducation économique... ZZZ. (En passant, ce n'est pas nécessaire de signer; je connais ton numéro par cœur ☺.)

📱 09-02 22 h 05

Ah, c'est bon à savoir!

📱 09-02 22 h 06

Quoi de neuf à Montréal?

📱 09-02 22 h 07

Pas grand-chose: l'école, les devoirs, le journal, les amis, Félix, sa nouvelle gang insupportable, ses innombrables conquêtes... Bref, la vie normale d'une fille de quinze ans!

▢ 09-02 22 h 08

Hum!... Et pas d'amoureux en vue?

▢ 09-02 22 h 08

Est-ce que je dois vraiment partager cette information avec toi?

▢ 09-02 22 h 09

Non... J'étais juste curieux. Ça doit être du masochisme.

▢ 09-02 22 h 09

Tu devrais faire comme moi; moins j'en sais à propos de Sarah, et mieux je me porte. ;)

▢ 09-02 22 h 10

T'as raison, c'est plus sage. Est-ce que j'aurai la chance de te croiser bientôt?

▢ 09-02 22 h 10

Je ne crois pas, non. Marilou vient ici pendant la relâche, alors ça ira à cet été.

▯ 09-02 22 h 11

Dommage. C'est toujours cool de te revoir.

▯ 09-02 22 h 11

Bonne nuit, Thomas. Et encore bonne fête! ☺

▯ 09-02 22 h 12

À très bientôt, Léa. XXX

Jeudi 12 février

19 h 02

Léa (en ligne): Félix! Baissez votre musique! Je ne m'entends plus penser!

19 h 03

Félix (en ligne): J'ai monté le son pour m'assurer de ne pas vous entendre, ton chum et toi.

19 h 04

Léa (en ligne): Olivier n'est pas mon chum, tu sauras! C'est un ami avec qui je préparais un exposé d'anglais, et il est parti depuis presque une heure, alors tu peux baisser le volume, maintenant.

19 h 05

Félix (en ligne): La musique nous inspire pour notre travail de philo.

19 h 06

Léa (en ligne): Fé-lix! Les parents détestent quand tu fais jouer ta musique aussi fort!

19 h 06

Félix (en ligne): Justement! J'en profite pendant qu'ils ne sont pas là!

19 h 07

Léa (en ligne): Sans blague. J'ai plein de devoirs à faire et je n'arrive pas à me concentrer.

19 h 07

Félix (en ligne): OK. OK...

19 h 08

Léa (en ligne): Merci!

19 h 09

Félix (en ligne): On descend pour se faire à souper. Viens-tu?

19 h 10

Léa (en ligne): Ça dépend... Qu'est-ce que vous comptez cuisiner?

19 h 10

Félix (en ligne): Je ne sais pas. C'est Zack qui cuisine ce soir.

Léa (en ligne): Ark. Alors, je vais me contenter des restants de spaghetti.

Félix (en ligne): Il ne reste plus de spaghetti.

Léa (en ligne): T'as tout mangé quand t'es rentré de l'école?

Félix (en ligne): *Nope.* C'est Zack. Il n'a l'air de rien, mais il mange comme un ogre!

Léa (en ligne): Grrr. Il n'était pas censé être végétalien, lui?

Félix (en ligne): Justement; c'était du spaghetti sauce tomate.

Léa (en ligne): Bon, alors je vais me faire un sandwich au poulet. Au moins, je suis certaine que ton parasite d'ami n'a pas touché à ça! BYE.

Léa s'est déconnectée

À : Léa_jaime@mail.com
De : Marilou33@mail.com
Date : Vendredi 13 février, 22 h 59
Objet : Conversation avec papa

Bon vendredi !

Alors, est-ce que Zack a fini par lever les pattes ? Hier soir, tu avais l'air vraiment excédée quand on s'est parlé. Tu pourrais peut-être expliquer à tes parents que tu trouves ça intense qu'il soit toujours chez toi ? Dis-toi que si j'ai pu avoir une discussion avec mon père à propos de son couple, ça veut dire que tout est possible dans la vie !

Tu as bien lu ! Quand je suis rentrée de chez JP il y a environ une heure, je suis tombée sur mon père qui regardait la télé au salon.

Moi : Bonsoir, papa ! Qu'est-ce que t'écoutes ?

Mon père (l'air distrait) : Hum ? Oh, je ne sais pas trop. Je zappe.

Moi : T'es tout seul ?

Mon père : Oui. Zak dort et ta mère est sortie avec une amie.

Moi : Quelle amie ?

Mon père : Céline ou Solange. Je ne me rappelle plus trop. Elles avaient organisé une soirée de filles.

J'ai hésité un peu, puis je me suis avancée vers lui et je me suis assise sur la table du salon.

Moi : Papa ?
Mon père (en fixant toujours la télé) : Oui ?
Moi : Est-ce que ça va, toi ?

Mon père m'a regardée avec un drôle d'air.

Mon père : Euh ! Oui. Pourquoi tu me demandes ça ?
Moi (en toussotant) : Ben... Je ne sais pas si tu sais, mais maman m'a parlé de vos... problèmes.

Mon père s'est aussitôt raidi. Je le connais assez bien pour savoir que c'est sa façon de masquer ses émotions.

Mon père (d'un ton qui se veut nonchalant) : Ah, ça. Euh ! Oui, ça va. Mais je ne veux pas que tu t'inquiètes pour ça, Marilou.
Moi (d'une petite voix) : Facile à dire... Mais c'est sûr que ça m'inquiète, papa.

Mon père m'a regardée avec tendresse. Sa lèvre inférieure s'est mise à trembler.

Mon père (en chuchotant) : Mais il ne faut pas. Ce sont nos problèmes, et ça n'a rien à voir avec Zak et toi. Tout va bien aller, OK ?

Le simple fait de voir mon père aussi vulnérable m'a évidemment donné envie de pleurer. Heureusement, Zak s'est pointé dans le salon à ce moment-là et a vite changé l'atmosphère.

Zak : Papa ?

Mon père (en se retournant vers lui et en faisant un effort pour reprendre ses esprits) : Hey ! Mais qu'est-ce que tu fais ici, toi ? Il est tard, et tu es censé dormir !

Zak (d'un air triste pour essayer d'amadouer mon père) : Je sais… Mais je n'arrive pas à dormir parce que j'ai trop faim. Est-ce que je pourrais avoir un biscuit ?

Mon père (en se levant) : C'est une excellente idée. Je pense qu'on a tous envie d'un biscuit. Mais pas un mot à votre mère !

On s'est installés tous les trois dans la cuisine pour manger notre collation et boire un verre de lait, puis je suis allée border Zak jusqu'à ce qu'il se rendorme. J'ai le cœur gros, mais ça me fait du bien de t'en parler. ☺

Demain, j'ai invité Steph et Laurie chez moi. Ça va être cool une journée de filles ! Et en soirée, comme c'est la Saint-Valentin, JP et moi allons souper au restaurant. Ah !, et pour ton info, un gars qui t'invite chez lui le 14 février, c'est très louche. Alors je suis totalement d'accord avec Jeanne et Katherine.

Aussi, j'ai regardé mon horaire de natation, et je suis en congé du 1er au 4 mars, alors je serai chez toi du dimanche au mercredi. J'ai hâte !

Lou xox

À : Marilou33@mail.com
De : Léa_jaime@mail.com
Date : Lundi 16 février, 20 h 47
Objet : Une fin de semaine mouvementée

Salut, Lou !
J'étais émue en lisant ton courriel. Je suis contente que tu aies réussi à percer la carapace de ton père, mais ça me fait de la peine de savoir que tu as le cœur gros. Est-ce que tu crois qu'il a raconté votre conversation à ta mère ?

Même si je me sens un peu impuissante face à tout ça, je veux que tu saches que je suis là pour toi, et que dans treize petits jours, je pourrai te serrer dans mes bras et t'écouter d'une oreille attentive.

J'espère aussi que ton passage à Montréal te permettra de te changer les idées. Ça te fera le plus grand bien de changer d'air (en espérant que Zack ait décampé et qu'il ne pollue pas trop le nôtre !).

De mon côté, la fin de semaine a été plutôt mouvementée. Vendredi soir, je suis allée chez Jeanne avec Katherine et Éloi. On s'est fait livrer de la pizza, on a fait des blagues et on a même essayé de parler de hockey pour le faire sourire, mais sans trop de succès.

Katherine (en jetant une croûte de pizza dans la boîte) : *Come on*, Éloi ! Nous sommes trois filles qui parlons de la saison des Canadiens. Il faut que tu nous aides un peu.

Éloi a poussé un long soupir et il a esquissé un petit sourire.

Éloi : Merci, les filles. Je vois que vous vous donnez du mal, et j'en suis vraiment reconnaissant. Croyez-moi, je suis tanné de me sentir comme une larve. C'est juste… tellement difficile. Vivre une peine d'amour, passe encore ; après tout, j'ai fréquenté deux d'entre vous et je suis encore vivant. Mais me faire *flusher* pour un autre, c'est vraiment dur pour l'orgueil.

Moi : Je te comprends. Me séparer de Thomas, c'était horrible, mais apprendre qu'il sortait avec Sarah Beaupré dans mon dos, c'était encore pire.

Katherine : Ouais ! Je connais ça aussi. Félix a pas été super honnête avec moi, l'an passé.

Jeanne : Et que dire de Xavier qui me *cruise* dans le dos de sa blonde !

Éloi : On fait dur.

Katherine : Mets-en ! Ça fait une semaine que j'espionne un gars en cachette sans qu'il réalise que j'existe !

Jeanne : Et moi, ça fait plus d'un mois que je me réjouis quand un gars en couple m'écrit pour me raconter ses journées. C'est pathétique !

Moi (en me levant d'un bon) : Bon, ça suffit ! Je décrète la fin de notre période de léthargie. Il faut se secouer les puces et être plus positifs. Savez-vous ce qu'on pourrait faire pour avoir du *fun* au lieu de ressasser nos histoires d'amour ratées ?

Jeanne (en me regardant avec un air sceptique) : Non ! Qu'est-ce que tu proposes, Madame Bonheur ?

Moi : On pourrait aller patiner. Il est encore tôt, il fait doux et ça va nous dégourdir les jambes. Et après, on ira prendre un chocolat chaud et s'empiffrer de gâteaux pour se réchauffer.

Katherine (en se levant et en tendant la main à Éloi) : Bonne idée ! Et c'est une façon super efficace de sortir notre ami de son état végétatif.

On s'est dirigés vers la patinoire du quartier et nous avons vite réalisé qu'Éloi était le seul qui savait vraiment patiner. Même si les filles et moi avons passé plus de temps sur les fesses que sur nos patins, on a vraiment eu du *fun*.

Au bout d'un moment, je me suis installée sur un petit banc avec Éloi tandis que Katherine et Jeanne s'amusaient à exécuter des « figures de style » sur la glace.

Éloi : Merci. C'est vrai que ça change le mal de place de venir ici.

Moi : De rien. Mais prépare-toi : la prochaine fois, on va glisser sur le Mont-Royal !

Éloi (en touchant mon front) : Euh !, qu'est-ce qui se passe avec toi ? Es-tu malade ? Parce que la Léa Olivier avec qui je suis sorti haïssait les activités extérieures.

Moi (en riant) : Ouais, je sais. Je ne suis toujours pas fan des randonnées pédestres, mais je suis toujours motivée à faire du bien à mes amis. Surtout quand ils ont toujours été là pour moi.

Éloi : Ouais !, mais Alex avait raison. T'as beaucoup changé depuis l'an dernier.

Moi : Alex t'a parlé de moi ?

Éloi : Il m'a juste fait remarquer que t'étais encore plus cool qu'avant.

Moi (en rougissant) : Pfff ! N'importe quoi. Il dit ça, mais je suis sûre que je ne suis pas aussi cool que sa Marguerite.

Éloi : On s'en fout de Marguerite ! De toute façon, tu ne peux pas comparer plus d'un an d'amitié à un *kick* de quelques jours.

J'ai souri, et les filles sont venues nous rejoindre. Après le gâteau et le chocolat chaud, Éloi est rentré chez lui tandis que Katherine et moi sommes restées dormir chez Jeanne. Samedi, je suis rentrée chez moi juste à temps pour le petit-déjeuner.

Moi (en retirant mes bottes et mon manteau) : Quand maman m'a dit au téléphone que vous aviez acheté des chocolatines, vous m'avez convaincue de rentrer au plus vite. Félix n'est pas là ?
Ma mère : Il dort encore. Zack et lui sont rentrés tard hier soir.

Encore Zack ? Grrr ! Il me fallait suivre tes conseils.

Moi (en baissant la voix) : Est-ce que je peux vous dire quelque chose ?
Ma mère (en me tendant un jus d'orange) : Toujours. Tu le sais bien.
Moi (en chuchotant) : Des fois, ça me gosse que Zack soit toujours ici.
Ma mère : Comment ça ? Tu ne l'aimes pas ?
Moi : Je n'ai pas dit ça.
Mon père : Zack est très coloré, mais ça ne fait pas de lui une mauvaise personne, Léa.
Moi : Je sais qu'il n'est pas méchant, mais il me dit toujours quoi faire, et ça m'étouffe. C'est correct qu'il passe du temps ici, mais là, je le vois presque plus souvent que Félix !
Ma mère : C'est vrai qu'il habite pratiquement ici... J'en glisserai un mot à ton frère.

Moi : Merci. Mais ne dites-lui pas que ça vient de moi ! Je ne veux pas causer de chicane.

Mon père (en me faisant un clin d'œil) : Ne t'en fais pas ! J'ai juste à lui expliquer que je n'avais pas prévu dans mon budget de nourrir un troisième enfant.

En début d'après-midi, je me suis rendue chez Olivier pour pratiquer notre exposé d'anglais. Il habite sur le Plateau Mont-Royal (là où on va souvent magasiner toi et moi), tout près du métro.

Il m'a ouvert en souriant et m'a aussitôt fait faire le tour complet de sa demeure. J'étais déjà venue chez lui le soir de son party, mais les événements de la soirée m'avaient empêchée de réaliser à quel point sa maison est originale. Il y a des murs de briques, des bibelots et des toiles un peu partout.

Moi : Tes parents aiment les arts ?
Lui : Ma mère est peintre.
Moi : Wow, c'est cool ! J'adore ta maison. C'est super vivant.

On est allés dans sa chambre, qui est située à l'étage. On aurait dit un studio d'artiste comme on voit dans les revues, avec une grande colonne de bois qui sépare son lit du reste de la pièce.

Moi : Ben, là ! Tu n'aurais jamais dû me montrer ta chambre ! Ça va me donner des complexes !
Lui : Ben non !, je suis sûr que la tienne est tout aussi cool.

On s'est installés sur le sofa (oui, il y a un sofa dans sa chambre) et on a travaillé sur notre présentation pendant près de trois heures. Comme Olivier corrigeait sans cesse mes petites erreurs, j'ai fini par maîtriser parfaitement mon texte.

Olivier : Bravo ! T'es devenue bilingue.
Moi (en haussant un sourcil) : Ha ! C'est facile d'être bilingue quand on a un interprète à nos côtés.

J'ai commencé à ranger mes effets personnels.

Olivier : Euh ! As-tu le temps qu'on fasse quelque chose ? On pourrait peut-être regarder un film.
Moi (en consultant ma montre) : C'est gentil, mais j'ai promis à mes parents de rentrer tôt pour ranger mes affaires. J'ai un peu perdu le contrôle au cours des dernières semaines et on dirait qu'une tornade a traversé ma chambre.

Alors que je m'apprêtais à partir, Olivier a reçu un message texte qui l'a fait soupirer.

Moi (en rangeant mes affaires) : Ça va ?

Lui : Ouais !, mais José me décourage, ces temps-ci. Il gaffe, et après, il me demande de réparer ses erreurs.

Moi : Qu'est-ce que tu veux dire ?

Lui : Tu me promets de n'en parler à personne ?

Moi : Promis.

Oups !

Lui : José... est sorti avec une autre fille, hier soir, et il me demande d'être son alibi.

Moi : QUOI ? Encore ? J'espère que c'est la même, au moins !

Lui : Hein ? De quoi tu parles ?

Je lui ai fait le résumé de ce qui s'était passé lors de son party.

Lui (en secouant la tête) : Ben, voyons ! Il ne m'avait pas raconté ça. En as-tu parlé à Maude ?

Moi : Non, mais là, je pense que je n'ai pas d'autre choix que de le faire.

Il a grimacé.

Moi : T'inquiète ! Je ne vais pas trahir ton secret. Je vais me contenter de lui suggérer de garder un œil sur son chum.

Olivier : Merci.

J'allais sortir de sa chambre quand il m'a retenue par la main.

Lui (en souriant) : Attends ! J'ai quelque chose pour toi. Ferme les yeux.

J'ai obéi.

Lui : OK. Tu peux regarder.

Quand j'ai rouvert les yeux, j'ai vu qu'il me tendait une rose rouge.

Lui : Joyeuse Saint-Valentin !
Moi (en rougissant) : Wow ! Je ne m'attendais pas à ça ! Euh ! Merci !

J'étais un peu gênée. Je ne savais pas trop quoi dire. On est restés plantés là pendant quelques secondes, puis j'ai finalement brisé le silence.

Moi : Bon !... Faut vraiment que je file.

Il m'a raccompagnée jusqu'à la porte et je lui ai donné un baiser rapide sur la joue.

Moi : Merci encore pour l'aide. Et pour la fleur. C'est vraiment gentil.

Hier, comme il faisait un froid de canard, j'ai décidé de m'installer confortablement dans le sofa et de regarder des films. Mon moment de quiétude a été interrompu par les analyses cinématographiques de Zack, ce qui m'a confirmé que j'avais fait le bon choix en me confiant à mes parents.

En soirée, ceux-ci m'ont proposé de jouer au Scrabble. C'est pas mal la seule activité cérébrale que j'étais capable d'accomplir. Après notre partie, j'ai jeté un coup d'œil à mon téléphone, et j'ai éprouvé une soudaine envie d'appeler Alex pour avoir des potins. Il n'a pas répondu, et je me suis demandé si c'était parce qu'il était avec Marguerite.

Je me suis endormie en m'imaginant humilier les nunuches en public. Je sais que c'est sadique, mais j'ai dormi comme un bébé.

Ce matin, je me suis réveillée avec une boule dans l'estomac; l'exposé me rendait vraiment nerveuse.

Le cours d'anglais était le premier de la journée. Olivier et moi nous sommes déguisés dans le corridor, puis nous nous sommes installés devant la classe. J'interprétais le rôle d'une touriste et j'avais enfilé une chemise avec des motifs de palmiers, un pantalon taille haute, des sandales et des lunettes de soleil. Olivier jouait quant à lui le rôle de Pedro, un agent de voyages qui me vantait les mérites du Mexique. Il portait un sombrero, une fausse moustache et un faux bedon. Jeanne a tellement ri en nous voyant qu'elle a pris une photo. La classe s'est bidonnée pendant les quatre minutes de notre présentation. Quand je suis allée me rasseoir, je me sentais légère et très fière de moi. Et comble du bonheur, Maude et Marianne sont passées juste après nous, et leur présentation est complètement tombée à plat !

Après la classe, Olivier m'a rejointe à mon pupitre et a levé sa main dans les airs.

Olivier : *High five !*

J'ai frappé dans sa main en riant.

Moi : Merci, Oli ! Je n'aurais jamais réussi notre présentation sans ton aide. Tu faisais un très bon Pedro. Olivier (avec un accent espagnol) : Dé rien, chérie ! Yé vais aller me changer, parcé qué je mé trouve un peu *gordito !*

Il est sorti de la classe en sautillant. J'ai souri et j'ai ramassé mon sac. Maude s'est aussitôt plantée devant moi.

Maude : Bravo, le poireau ! Tu as trouvé une nouvelle façon de te ridiculiser en public.

Moi : Merci pour le compliment, Maude, mais je pense que le prof a trouvé ça plutôt rigolo et qu'on va avoir une bonne note.

Maude : Il faut absolument que tu remercies Olivier d'avoir fait tout le travail. Tu pourrais l'embrasser, tiens ! Avec un peu de chance, il pourrait te torpiller la face au complet !

Inspire. Expire.

Moi : Maude, pourquoi ne surveilles-tu pas ton chum au lieu de te mêler de ma vie personnelle ?

Maude : Je n'ai pas besoin de surveiller mon chum pour savoir qu'il ne torpille pas une autre fille que moi.

Moi (en détournant les yeux) : Si tu le dis.

J'ai pris mon sac et je me suis avancée vers la porte de la classe, mais Maude m'a bloqué le chemin. Elle a renvoyé sa crinière blonde derrière son épaule et m'a regardée droit dans les yeux.

Maude : Si t'as quelque chose à me dire, crache le morceau.

Moi : Ce n'est pas poli de cracher.

Maude (en plissant les yeux) : Pourquoi tu m'as dit de surveiller mon chum ?

J'ai vu le doute dans ses yeux.

Moi (en soupirant) : Demande donc à José.

Maude : C'est à toi que je demande. Réponds.

Moi : Parce que je ne crois pas qu'il soit le gars le plus... honnête au monde.

Maude : Pfff ! N'importe quoi.

Moi : Pourtant, je t'avais déjà mis la puce à l'oreille l'année dernière et je ne m'étais pas trompée.

Maude : Ouais !, mais les choses ont changé. Notre relation est différente et toi, t'es plus tache que jamais.

Elle est sortie de la classe en me bousculant. Pourquoi ai-je voulu aider celle dont le passe-temps favori est de me comparer à un potager en putréfaction ? Aucune idée.

Bon, je te laisse ! Ça fait longtemps que je t'écris et je n'ai pas encore ouvert mes livres. Mais j'espère que tu as passé une Saint-Valentin hyper romantique. Donne-moi des nouvelles cette semaine !

Léa xox

Jeudi 19 février

21 h 12

Jeanne (en ligne): Léa? T'étais où aujourd'hui?

21 h 14

Léa (en ligne): Je me suis levée avec de la fièvre et un mal de gorge atroce. J'ai passé trois heures à la clinique avec Félix (qui a gentiment séché son cours pour m'accompagner) pour apprendre que je faisais une amygdalite aiguë et que j'en avais pour dix jours d'antibiotiques.

21 h 15

Jeanne (en ligne): Pauvre toi! Tu as passé la journée au lit?

21 h 16

Léa (en ligne): J'ai alterné du lit au sofa. La bonne nouvelle, c'est que Zack est hypocondriaque, alors je ne compte pas le revoir de sitôt! La mauvaise, c'est que j'ai maaaaal! Comme je n'irai pas non plus à l'école demain, je devrai emprunter tes notes.

Jeanne (en ligne): Pas de problème. Ça va me faire plaisir !

Léa (en ligne): Alors, qu'est-ce que j'ai raté aujourd'hui ? Sais-tu si Maude a confronté José ?

Jeanne (en ligne): Non... ☹ J'ai essayé de soutirer des informations à Sophie lorsque je l'ai croisée dans les toilettes, mais elle m'a regardée avec des yeux ronds quand je lui ai demandé si tout allait bien entre Maude et José. « Bien sûr ! Pourquoi ça irait mal ? Ils sont tellement *cutes* ensemble ! »

Léa (en ligne): Hein ? On parle bien de la fille qui était amoureuse de lui il y a quelques mois à peine ?

Jeanne (en ligne): Ouais ! Mais elle a tellement peur de Maude qu'elle doit refouler ses sentiments.

Léa (en ligne): C'est triste. Mais on ne peut plus rien faire.

21 h 20

Jeanne (en ligne): Je sais.

21 h 21

Léa (en ligne): Est-ce qu'il y a des développements heureux entre Katherine et son «Michael Jordan»?

21 h 21

Jeanne (en ligne): Je n'irais pas jusqu'à appeler ça des «développements heureux.» Je dirais plutôt que ça va de mal en pis!

21 h 22

Léa (en ligne): Raconte!

21 h 22

Jeanne (en ligne): Ce midi, elle voulait désespérément attirer l'attention de Nathan, alors elle m'a convaincue d'aller jouer au basket avec elle.

21 h 24

Léa (en ligne): Tu me niaises?

21 h 25

Jeanne (en ligne): Non! On avait l'air de deux belles cruches!

21 h 25

Léa (en ligne): Est-ce que ç'a fonctionné, au moins?

21 h 26

Jeanne (en ligne): Du tout! Nathan était tellement concentré sur son match qu'il ne s'est aperçu de sa présence qu'au moment où il lui a envoyé un ballon sur la tête. Katherine est devenue toute rouge. Elle s'est recoiffée et elle est allée le lui remettre en mains propres en espérant qu'ils rigolent de la situation, mais Nathan s'est contenté de lancer un «Excuse-moi!» avant de rejoindre sa gang. Elle est encore plus découragée.

21 h 27

Léa (en ligne): Hum, ça regarde mal! Et toi, des nouvelles de Xavier?

21 h 28

Jeanne (en ligne): Ouais! On s'est beaucoup écrit cette semaine. D'ailleurs, j'ai besoin de ton avis.

Léa (en ligne): À propos de quoi?

Jeanne (en ligne): Hier soir, il m'a écrit qu'il pensait beaucoup à moi et qu'il aimerait ça qu'on se revoit. Il m'offre de faire quelque chose pendant la relâche.

Léa (en ligne): Il a cassé avec sa blonde?

Jeanne (en ligne): Non. Je dirais même que sa Fraise des champs est plus présente que jamais sur son mur.

Léa (en ligne): Ben là! Il est aussi croche que José, lui! Est-ce que vous en parlez, des fois?

Jeanne (en ligne): Jamais! Quand il m'écrit, c'est comme si elle n'existait pas! Et le problème, c'est que même s'il est charmeur avec moi, il n'est jamais déplacé et il ne dépasse jamais la limite de l'amitié. C'est une zone hyper grise et je ne sais pas trop comment réagir.

21 h 33

Léa (en ligne): Wow! On dirait que tu es tombée sur le gourou des gars pas clairs.

21 h 33

Jeanne (en ligne): Avoue! Ou alors sur un autre gars qui ne veut rien de plus que de l'amitié.

21 h 34

Léa (en ligne): Ouais!, ça se peut. À ta place, je tirerais ça au clair avec lui avant de le voir.

21 h 34

Jeanne (en ligne): Et comment je fais ça? En lui posant des questions sur sa blonde?

21 h 35

Léa (en ligne): Pourquoi pas? Ç'a le mérite d'être direct!

Jeanne (en ligne): Oui, mais j'ai peur qu'il comprenne que je veux plus et que ce ne soit pas réciproque. Je préfère l'ambiguïté au rejet.

Léa (en ligne): Alors, propose-lui de faire une activité avec toi... et ton ami Éloi! S'il veut juste de l'amitié, il va être content. S'il veut plus, ça paraîtra sur son visage qu'il est jaloux et tu auras ta réponse.

Jeanne (en ligne): Oh! C'est un bon plan! J'appelle Éloi. Merci, Léa! Et prends soin de toi! Je passerai te porter mes notes en fin de semaine.

Léa (en ligne): Merci! Je t'envoie plein de bisous-pas-contagieux!

Chapitre 7 :
Floraison de
nunuches

📱 22-02 00 h 00

BONNE FÊTE LOU!!! J'ai tenu le coup jusqu'à minuit pour être certaine d'être la première à célébrer ton anniversaire!!!

📱 22-02 00 h 16

Merci! ☺ J'ai reçu ton cadeau aujourd'hui. C'était vraiment une bonne idée de faire encadrer cette photo de nous deux; je l'ai déjà accrochée au-dessus de mon lit!

📱 22-02 00 h 16

Contente que tu aimes! ☺ Alors, comment te sens-tu?

📱 22-02 00 h 17

Heureuse! Mes parents sont venus me surprendre dans ma chambre avec un petit gâteau à minuit tapant. ☺ Je me sens choyée, car on pense à moi très tôt, cette année!

📱 22-02 00 h 17

C'est parce que seize ans, c'est *big*, Qu'est-ce que tu vas faire pour ta journée spéciale?

📱 **22-02 00 h 18**

Ma mère a invité sa sœur pour le brunch, et Zak a même cuisiné des muffins au chocolat pour l'occasion!

📱 **22-02 00 h 19**

Cool! Et JP? Il t'a préparé quelque chose?

📱 **22-02 00 h 20**

On a passé toute la journée d'hier ensemble! Ses parents avaient une soirée, alors il en a profité pour concocter une fondue au fromage chez lui. C'était romantique!

📱 **22-02 00 h 21**

Génial! Et ton cadeau?

📱 **22-02 00 h 21**

Ça, c'est un peu moins cool. Il m'a acheté un parfum...

📱 **22-02 00 h 21**

OK! Et c'est quoi le problème? T'es allergique?

📱 22-02 00 h 22

Non... Mais... Il pue.

📱 22-02 00 h 22

OH NON ! (J'essaie de me retenir de rire !)

📱 22-02 00 h 23

C'est une odeur sucrée qui sent la madame. Ça ne me ressemble tellement pas !

📱 22-02 00 h 23

Ark ! Il me semble que JP te connaît assez pour savoir que ce n'est pas du tout ton style. Est-ce que tu lui as dit ?

📱 22-02 00 h 24

Je n'ai pas osé, mais comme je m'attends à ce qu'il vienne me « sniffer » à l'école, je n'aurai pas le choix que d'inventer une excuse.

📱 22-02 00 h 25

Ou tu pourrais gentiment lui dire la vérité. Comme ça, tu pourras l'échanger pour quelque chose qui te plaît vraiment.

22-02 00 h 26

Bonne idée! Et toi, comment ça va, la santé?

22-02 00 h 27

Je remonte tranquillement la pente. Je dois absolument aller à l'école demain parce que j'ai un test de maths. J'espère que mes cellules ne vont pas défaillir d'ici là!

22-02 00 h 28

Je suis certaine que ton cerveau n'aura pas de flatulences comme à l'automne! Bon, je vais me coucher. Merci de m'avoir écrit!

22-02 00 h 28

De rien. Bonne fête encore, Lou! Je t'appelle demain pour te féliciter de vive voix! XOX

22-02 00 h 29

☺ XOX

À : Léa_jaime@mail.com
De : Marilou33@mail.com
Date : Mercredi 25 février, 19 h 19
Objet : Bing, bang, boum !

Ark. Ark. Ark. Voici le résumé de ma journée et de ma vie actuellement. Je suis tellement en colère, Léa, tu n'imagines même pas ! En plus, je n'arrive pas à te joindre sur ton cell ! J'espère que le courriel aidera au moins à me défouler.

Tout a commencé ce matin. Quand je me suis réveillée, j'ai entendu mes parents qui chuchotaient dans la cuisine. Je me suis avancée sur la pointe des pieds et j'ai tendu l'oreille. Je n'arrivais pas à tout saisir, mais j'ai capté des bribes au passage.

Mon père : Je pense qu'on a assez attendu (...) Encore plus de torts de cacher ça comme on le fait.
Ma mère : Je sais, mais (...) pas une situation évidente. Je ne sais plus quoi faire.

J'ai entendu des reniflements. Ça n'annonçait rien de bon. J'ai essayé de m'avancer un peu plus pour mieux écouter leur discussion, mais ce faisant, j'ai fait craquer le plancher du corridor. Mes parents sont aussitôt venus jeter un coup d'œil et ils m'ont surprise en train de les espionner. Ma mère avait les yeux rouges et mon père était cerné jusqu'aux oreilles.

Moi (d'un ton sarcastique) : Wow ! Vous avez l'air en forme.

Ma mère : Lou... Qu'est-ce que tu fais là à nous écouter ?

Moi (en baissant les yeux) : Je m'excuse. Je vous ai entendus chuchoter. Je voulais savoir ce qui se passait. Ça fait plus d'un mois que vous fonctionnez au neutre. Je ne sais pas à quoi m'en tenir. Ça me stresse.

Mes parents ont échangé un regard et m'ont fait signe de les suivre en silence dans la cuisine. Mon petit frère dormait encore. Apparemment, ils n'avaient pas envie qu'il participe à cette thérapie familiale.

Je me suis assise sur un tabouret et ma mère m'a servi un jus d'orange tandis que mon père s'affairait à mettre des tranches de pain dans le *toaster*.

Moi : Alors ? Qu'est-ce qui se passe ?

Ma mère (en souriant faiblement) : Je pense que ce serait préférable qu'on en parle ce soir.

Moi (en haussant le ton) : NON ! Je veux savoir maintenant ! J'ai seize ans. Je mérite de comprendre ce qui vous arrive.

Mon père : CHUT ! Tu vas réveiller ton frère.

Moi : Je m'en fous. Je veux savoir.

Mon père (en fronçant les sourcils) : Tu as eu six ou seize ans ?

J'ai soupiré, puis il est venu s'asseoir auprès de moi.

Mon père (en regardant ma mère) : Si ta mère préfère attendre à ce soir, c'est parce que ce qu'on a à te dire n'est pas facile. Ce n'est pas une bonne idée d'en parler avant ton départ pour l'école.

Moi : Trop tard. Maintenant, je vais me faire des scénarios toute la journée. C'est quoi, l'affaire ? Vous avez décidé de divorcer ?

Ma mère : On ne parle pas de divorce, Lou. On n'est pas rendus là. Mais ton père et moi... on a décidé de se séparer pendant un temps.

Moi (en sentant les larmes me piquer les yeux) : Ah, ouais ? Vous abandonnez ? Vous nous lâchez ?

Mon père a posé une main sur la mienne.

Lui : Non ! Ça n'a rien à voir, Marilou ! Ne dis jamais ça ! Tu sais bien que nous vous aimons plus que tout au monde.

Moi (en sentant les larmes de rage et de tristesse couler sur mes joues) : Si c'était le cas, vous feriez tout pour sauver notre famille !

Ma mère : Lou, on a vraiment essayé de régler nos problèmes ! C'est pour ça qu'on est en thérapie. Mais là, on sent qu'on a frappé un mur et que la séparation est vraiment ce qu'il y a de mieux pour nous, et pour vous.

Moi (en la dévisageant) : Me vois-tu la face, maman ? Est-ce que ç'a l'air d'être la meilleure chose pour moi ?

Mon père : Marilou, je t'en prie. Ne réagis pas comme ça.

Moi : Je vais réagir comme je veux !

Ma mère (les larmes aux yeux) : Tu vois ! C'est pour ça qu'on ne voulait pas t'en parler comme ça, ce matin. Ni aujourd'hui, d'ailleurs ! On voulait attendre...

Moi : Attendre quoi ? Que ma fête soit passée ? Eh bien, c'est fait. Merci pour ce bel anniversaire. J'aurai maintenant deux maisons, deux lave-vaisselle à vider et deux fois plus de gardiennage à faire. Méchant beau cadeau. Sur ce, je vais à l'école.

Je me suis levée pour m'enfermer dans la salle de bain. J'ai pleuré pendant dix minutes sous la douche, puis je me suis habillée en vitesse et je suis sortie de la maison sans rien ajouter. J'en avais assez entendu. Comme Zak était maintenant réveillé et qu'il était dans la cuisine, mes parents n'ont pas pu me retenir.

Quand je suis arrivée à mon casier, JP est aussitôt venu me rejoindre.

JP : Salut, toi !

Moi (en prenant mes livres et en les déposant dans mon sac) : Salut.

JP : Ça va ? T'as les yeux tout bouffis.

Moi : Merci, JP. C'est en plein ce que j'ai besoin ce matin : apprendre que je ressemble à un orang-outan gonflé à l'hélium.

JP : Euh !... Je n'ai jamais dit ça !

Moi (en prenant une grande inspiration) : Excuse-moi. Ce n'est juste pas ma journée.

JP (en m'enlaçant par-derrière) : Il est seulement 8 h. Les choses peuvent encore changer !

Moi (en haussant les épaules) : Hum ! Je ne pense pas, non.

JP (en nichant son nez dans mon cou) : Eille ! Tu ne portes pas mon parfum ?

Merde. J'avais oublié de mettre son parfum qui pue ou de penser à une excuse.

Moi : Oups ! J'ai oublié. Je n'ai pas encore l'habitude.

JP (en se mordant la lèvre) : T'sais, Lou, si jamais tu ne l'aimes pas, il ne faut pas hésiter à me le dire.

Bon. S'il me tendait une perche, aussi bien la prendre !

Moi (sans le ménager) : Maintenant que tu le dis, c'est pas trop mon genre, comme odeur.

J'ai vu le regard de JP s'assombrir. Je me suis aussitôt sentie coupable.

Moi : Désolée, je ne voulais pas être directe comme ça. C'est juste que... c'est un peu sucré comme parfum, et que je ne suis pas habituée de sentir ça.

JP (sur la défensive) : En tout cas, j'en connais qui ne partagent pas ton opinion.

Ses joues se sont immédiatement empourprées. Il venait de gaffer.

Moi (en le regardant dans les yeux et en fronçant les sourcils) : De qui tu parles, JP ? Parce que j'en ai déjà discuté avec Steph et Laurie, et elles ne savaient même pas que tu m'avais acheté un parfum.
JP : Ben !... euh !... Il me fallait l'avis d'une experte pour choisir l'odeur. Odile s'est portée volontaire.

Je suis restée quelques secondes sans rien dire. J'étais sous le choc. J'aurais pu crier, hurler ou pleurer, mais j'ai finalement éclaté de rire. Un rire incontrôlable.

JP (en souriant, mal à l'aise) : OK. Tu trouves ça drôle ?
Moi (en me calmant peu à peu) : Ouais, Jean-Philippe (première fois de ma vie que j'utilise son nom au complet; ça te montre la gravité de la situation !), je trouve ça hilarant. Sérieux, je pense que c'est crampant d'apprendre avant même qu'il soit 9 h que mes parents se séparent et que mon chum a demandé conseil à une fille que je n'aime pas et qui tripe visiblement sur lui pour choisir un parfum pour moi.

JP est devenu livide.

JP : Marilou, je ne savais pas pour tes parents. Je suis désolé ! Et pour ce qui est d'Odile, tu as raison. Je n'aurais pas dû la consulter. C'est Thomas qui a suggéré de demander l'avis de Sarah, puis elle m'a convaincu de magasiner avec Odile... Je n'ai pas réfléchi. Je voulais simplement m'assurer que tu allais aimer ton cadeau. Je m'excuse.

J'aurais dû me douter que Sarah avait quelque chose à voir dans cette histoire. J'ai fixé JP. Il avait l'air sincèrement repentant, mais ça ne me faisait rien. Plus rien ne m'affectait.

Moi (en refermant mon casier et en tournant les talons) : T'sais quoi, JP ? Je pense que je vais y aller.

Il m'a poursuivie dans le couloir.

JP : Lou, attends-moi ! Je sais que tu ne files pas et je veux être là pour toi.
Moi (en me tournant vers lui) : Et moi, je ne veux pas que tu sois là. Je n'ai pas besoin de toi. Je n'ai besoin de personne.

Je sais ce que tu vas me dire : même si ce n'était pas fort de la part de JP de magasiner mon cadeau avec Odile (je comprends maintenant pourquoi il pue), il n'a pas fait ça pour mal faire et il se rend compte de son erreur. Et comme je traverse une période difficile, je devrais profiter de son soutien pour m'aider. C'est tout vrai, en théorie.

Mais en pratique, je souffre et j'avais envie de lui faire mal.

J'ai survécu à ma journée en évitant tout le monde. J'ai assisté à mes cours comme un zombie et je me suis enfermée dans les toilettes pendant toute la pause du dîner. JP m'a textée une vingtaine de fois, mais j'ai ignoré ses messages.

Quand je suis rentrée chez moi, je me suis barricadée dans ma chambre sans dire un mot à personne. Environ trente minutes plus tard, Zak a frappé à ma porte.

Zak (en me tendant un biscuit) : Tiens. Je les ai faits avec maman.
Moi (en souriant) : Merci, t'es gentil.
Zak : Pourquoi t'es triste ?

Est-ce que c'était à moi de lui annoncer la nouvelle et de le faire souffrir ? Non.

Moi : Pour rien.
Zak : Est-ce que c'est à cause des parents ?

Je l'ai regardé avec un air surpris.

Moi (sur mes gardes) : Qu'est-ce que tu veux dire ?

Zak : Papa et maman m'ont dit qu'ils allaient habiter dans deux maisons différentes. Est-ce que c'est ça qui te rend triste ?

Moi (surprise) : Tu es au courant pour leur séparation ?

Zak (en mangeant son biscuit comme si de rien n'était) : Oui. Je t'ai entendue pleurer ce matin. Je leur ai demandé ce qui se passait, et ils m'ont tout raconté après l'école.

Moi (en le prenant dans mes bras) : Ça va aller, Zak. Je sais que c'est difficile, mais je te promets qu'on va se tenir, toi et moi.

Zak (en continuant de manger son biscuit malgré mon étreinte) : Uh-huh. Je sais.

Moi : Et si tu as envie de pleurer, je suis là. Il ne faut pas avoir honte.

Zak : Non, je suis correct.

Je me suis reculée d'un pas et je l'ai dévisagé.

Moi : Qu'est-ce que tu veux dire par « correct » ? Tu comprends ce que « séparation » veut dire, non ?

Zak (en s'assoyant sur mon lit et en sortant un Lego de sa poche) : Oui. Matisse, Olivier et Léo ont deux maisons, eux aussi, et ils ont plein de cadeaux et ils aiment ça déménager.

Moi : Tu... Es-tu... Es-tu en train de me dire que ça ne te fait pas de peine que papa et maman se séparent ?

Zak (en me regardant enfin dans les yeux) : Oui, ça me fait de la peine, mais ils m'ont promis que ça ne changerait rien, et que je les verrais aussi souvent. En plus, je vais avoir deux chambres, et je pourrai jouer à la Wii en plus de ma PlayStation.

Wow ! J'aimerais tellement partager sa vision de la vie. Tout est plus simple quand on est enfant. J'ai souri et j'ai décidé de ne pas briser son élan de positivisme.

Je vais devoir te laisser, parce que mes parents insistent pour qu'on discute. Tu ne peux pas savoir à quel point mon escapade à Montréal tombe à pic !

Lou xox

Jeudi 26 février

19 h 45

Olivier (en ligne): Salut, toi! Qu'est-ce que tu fais?

19 h 46

Léa (en ligne): Je viens de raccrocher avec Marilou, ma meilleure amie. Ses parents se séparent, alors elle traverse une période un peu difficile.

19 h 46

Olivier (en ligne): Ouch! Ouais!, je suis passé par là. Tu peux lui dire que même si elle a l'impression de traverser une tornade, ça va se calmer par la suite.

19 h 47

Léa (en ligne): Tes parents sont séparés?

19 h 47

Olivier (en ligne): Ils l'ont été pendant deux ans, puis ils sont revenus ensemble.

19 h 47

Léa (en ligne): Je vais lui dire; ça va l'encourager!

19 h 47

Olivier (en ligne): Et ta santé, ça va mieux?

19 h 48

Léa (en ligne): Oui! Je me sens en pleine forme . En plus, il reste seulement un petit jour d'école avant la relâche!

19 h 49

Olivier (en ligne): Je sais! Qu'est-ce que tu as prévu pour les vacances?

19 h 50

Léa (en ligne): Marilou arrive dimanche, alors je veux essayer de lui changer les idées. Au menu: des films, du potinage, du magasinage, des revues et même une manucure dans un salon avec Katherine et Jeanne! Après son départ, je compte prendre ça hyper relax! Toi?

19 h 51

Olivier (en ligne): Je vais chez mes cousins au Saguenay jusqu'à jeudi, mais je voulais justement te proposer de faire quelque chose à mon retour.

19 h 52

Léa (en ligne): Cool! Fais-moi signe quand tu reviens!

19 h 53

Olivier (en ligne): Promis!

José vient de se joindre à la conversation

19 h 54

Léa (en ligne): Euh!... José, je pense que tu t'es trompé de fenêtre.

19 h 55

José (en ligne): Non, j'ai demandé à Olivier de m'inviter dans votre discussion parce qu'il fallait que je te parle.

19 h 55

Léa (en ligne): Ça promet...

19 h 56

Olivier (en ligne): Bon, faut justement que je file! On se voit demain! XX (José, les becs ne sont pas pour toi.)

Olivier s'est déconnecté

19 h 54

Léa (en ligne): Qu'est-ce que tu veux?

19 h 55

José (en ligne): Pourquoi t'es allée raconter à Maude que je l'avais trompée?

19 h 55

Léa (en ligne): Je n'ai jamais dit ça. Je lui ai simplement conseillé de garder l'œil ouvert. Je ne suis pas responsable des conclusions qu'elle en a tiré par la suite.

19 h 56

José (en ligne): Tu ne connais rien à notre relation, alors mêle-toi donc de tes affaires!

19 h 56

Léa (en ligne): Tu as raison, José. Et comme j'aimerais continuer à en savoir le moins possible, la prochaine fois, arrange-toi donc pour la tromper sans que personne ne s'en rende compte.

19 h 57

José (en ligne): C'est quoi, ton but? Foutre le bordel dans ma relation pour que je sorte avec toi? Si c'est le cas, rêve toujours, parce que tu ne m'intéresses pas pantoute. C'est Maude que j'aime.

19 h 58

Léa (en ligne): T'sais quoi? Je t'ai presque cru quand tu m'as dit ça, mais je pense qu'on ne traite pas quelqu'un qu'on aime de cette façon. Pour ce qui est du reste, il faudrait vraiment que je sois folle pour m'intéresser à quelqu'un comme toi.

19 h 59

José (en ligne): Je ne veux pas de tes leçons de morale.

20 h 00

Léa (en ligne): OK. Ben dégage, d'abord! Je n'ai jamais demandé à te parler, moi! Et je ne vois pas pourquoi tu te plains, car aux dernières nouvelles, Maude et toi formiez encore un beau petit couple.

José (en ligne): Évidemment qu'on forme encore un couple. Penses-tu vraiment que tu as le pouvoir de nous séparer?

20 h 01

Léa (en ligne): Mais je m'en fous de votre couple! Et si tu permets, j'ai des choses plus importantes à faire que de perdre mon temps avec toi.

20 h 02

José (en ligne): Une dernière petite chose: Olivier est mon ami, et il mérite mieux que toi. Sache que je ne me gênerai pas pour lui dire.

20 h 02

Léa (en ligne): Si ton ami Oli pense de la même façon que toi, il ne m'intéresse pas une miette. Alors, tu n'as aucun souci à te faire.

Léa s'est déconnectée

📱 28-02 23 h 44

Léa ? Dors-tu ?

📱 28-02 23 h 45

Non ! J'ai trop hâte à demain pour dormir. Je ne peux pas croire que tu vas être ici dans quelques heures ! ! J'ai tellement hâte de te voir, Lou !

📱 28-02 23 h 46

Moi aussi ! J'ai hâte de lever les pattes et de prendre congé de ma famille pendant quelques jours.

📱 28-02 23 h 47

Comment ça se passe avec tes parents ?

📱 28-02 23 h 48

J'écoute leurs explications, je réponds par des monosyllabes, je regarde Zak qui s'extasie devant ses Lego et qui accepte beaucoup mieux que moi la séparation de nos parents et je m'arrange pour passer le plus de temps possible dans ma chambre.

📱 28-02 23 h 50

C'est normal de leur en vouloir, mais tu es consciente qu'ils ne font pas ça pour te faire du mal, hein?

📱 28-02 23 h 51

Je sais, mais c'est plus fort que moi.

📱 28-02 23 h 51

Olivier m'a dit que la colère finissait par passer. C'est genre une étape du deuil.

📱 28-02 23 h 52

Depuis quand il est psychologue, lui?

📱 28-02 23 h 52

Je pense qu'il essaie juste d'aider, Lou. Il est passé par là, lui aussi.

📱 28-02 23 h 53

Je sais... mais je me méfie de lui depuis ta «conversation» avec José.

📱 28-02 23 h 53

Crois-moi, tu n'es pas la seule. Même si on s'entend *full* bien, je me dis que si Olivier se tient avec un gars comme José, ça n'a rien de bien rassurant. Mais bon, comme il est toujours aussi gentil avec moi, c'est peut-être un signe que son ami n'a pas trop d'influence sur lui.

📱 28-02 23 h 54

Pfff! Mon œil! Regarde ce qu'il a fait à l'automne! C'est du José tout craché, ça!

📱 28-02 23 h 55

Ne compare pas des pommes avec des oranges, quand même!

📱 28-02 23 h 56

Hum! Désolée. Je ne suis pas du monde, cette semaine. ☹

📱 28-02 23 h 56

C'est correct. Je t'aime même quand tu es de mauvaise humeur, mais je te promets que tu ne repartiras pas de Montréal dans cet état-là!

📱 **28-02 23 h 57**
....

Merci! ☺ Une chance que tu es là, Léa.

📱 **28-02 23 h 57**
....

Tu oublies qu'il y a d'autres personnes qui sont là pour toi: Laurie, Steph... JP?

📱 **28-02 23 h 58**
....

C'est vrai. Les filles m'ont vraiment aidée cette semaine. Pour ce qui est de JP, tu seras heureuse d'apprendre que j'ai suivi ton conseil. ☺

📱 **28-02 23 h 59**
....

Tu lui as enfin pardonné d'avoir recruté Odile pour l'aider?

📱 **01-03 00 h 01**
....

Ouais! Ce matin, il s'est pointé chez moi avec une rose et j'ai craqué. J'ai pleuré dans ses bras pendant une demi-heure et ça m'a fait du bien. Il s'est excusé, je me suis excusée... et il est reparti avec le parfum qui pue en me promettant un meilleur cadeau quand je reviendrais de Montréal.

📱 01-03 00 h 02

Tu vois? Les choses s'arrangent. Je te promets que ce sera pareil pour tes parents. C'est normal que tu aies de la peine et que tu aies besoin d'une période d'adaptation pour digérer la nouvelle, mais je suis certaine que tout va bien aller.

📱 01-03 00 h 03

Merci! ☺ Tu m'aides à y croire! Bon, je vais me coucher. Il faut que je me lève à 7 h pour prendre l'autobus!

📱 01-03 00 h 04

Cool! Je viendrai te chercher avec Félix. Et avec un peu de chance, tu pourras faire la connaissance de Marie-Poilu pendant ton séjour. Ils collent un peu moins souvent à la maison depuis quelque temps (je soupçonne mon père d'avoir fait son intervention économique), mais je les croise tout de même une ou deux fois par semaine...

📱 01-03 00 h 05

J'espère les connaître! Rien de mieux qu'un intello poilu et une hippie végétalienne pour me faire retrouver le sourire! ☺

Ha, ha! À demain, Lou! xox

À : Léa_jaime@mail.com
De : Jeanneditoui@mail.com
Date : Lundi 2 mars, 14 h 43
Objet : Une autre fleur empoisonnée !

Salut, Léa !
Je crois que Marilou et toi êtes en train de magasiner et de profiter de la vie, mais je devais absolument te raconter ce qui s'est passé avant notre séance de manucure de demain. Je sais que tu cherches à faire sourire Marilou, et je crois que ma malchance aura l'effet escompté.

Comme tu le sais, j'avais proposé à Xavier de nous rejoindre Éloi et moi au centre-ville, hier. Je me suis dit qu'on pourrait dîner quelque part et se promener un peu pour apprendre à se connaître et pour permettre à Éloi de l'examiner de plus près et de tirer ses propres conclusions sur ses intentions. Quand je lui avais lancé l'invitation, j'avais nonchalamment écrit : « J'ai prévu d'aller en ville dimanche avec mon ami. Ce serait cool que tu te joignes à nous si ça te tente. »

Éloi et moi l'avons attendu au coin de Peel et Sainte-Catherine pendant quinze minutes. Honnêtement, je trouvais ça vraiment ordinaire qu'il nous fasse poireauter dans le froid, et comme il n'avait pas de cellulaire, c'était impossible de le joindre pour lui dire qu'on changeait de place.

Éloi (en grelottant) : OK. J'ai froid, et il est en retard. Est-ce qu'on peut partir, s'il te plaît ?

Moi (en regardant de tous les côtés) : Je lui donne encore cinq minutes, et on lève les voiles.

Éloi (en me regardant d'un air triste) : Je suis désolé, Jeanne. C'est vraiment poche comme situation.

Moi : Bof ! Ça pourrait être pire ! Il aurait pu se pointer ici avec sa blon...

Une-voix-de-gars-que-j'ai-aussitôt-reconnue : Salut, Jeanne !

J'ai regardé à ma droite et j'ai aperçu Xavier, qui était encore plus beau que dans mon souvenir et qui se tenait là, aux côtés d'une petite brune qui souriait. Son visage me disait vaguement quelque chose. C'est alors que je me suis souvenue. C'était la même fille qui le collait au centre de ski. C'était sa Fraise des champs !

Xavier : Euh, Jeanne, je te présente Lilas.

J'ai cligné des yeux sans rien dire. Non seulement sa blonde était là, mais elle portait un nom de fleur, elle aussi !

Moi : Oh ! Euh ! Salut, Lilas. Je vous présente mon ami Éloi.

Éloi a serré la main de Xavier et a salué sa blonde, puis il m'a tiré la manche avant de me faire de gros yeux.

Xavier : Désolé de vous avoir fait attendre.

Lilas (en souriant) : C'est de ma faute. J'ai raté mon autobus.

Il y a eu un moment de silence.

Xavier : Bon... Qu'est-ce que vous voulez faire ?

Il était maintenant hors de question que j'aille manger avec lui et sa blonde ou que j'apprenne à mieux les connaître. Plutôt mourir.

Moi : Comme il fait moche et froid, je pense qu'on pourrait aller au cinéma. Il y a plein de bons films en ce moment.

Éloi (en enchaînant aussitôt) : Super idée ! Allons-y !

Nous nous sommes engouffrés dans une salle de cinéma pour voir le dernier film de Leonardo DiCaprio. Ironiquement, Xavier était assis entre Lilas et moi. J'ai aperçu sa blonde s'emparer de sa main et se lover contre lui. Apparemment, elle tenait à ce que je sache que son chum n'était pas disponible. Merci, Fraise des champs. J'ai compris le message !

Après le film, Éloi a prétexté que c'était l'anniversaire d'une amie et qu'on devait se sauver. J'ai dit au revoir au petit couple et Éloi m'a traînée jusqu'au métro. J'étais sans mot.

Éloi (en s'assoyant sur un banc) : OK. C'était... bizarre comme après-midi. Il ne t'avait pas dit qu'il allait se pointer avec elle ?

Moi : NON ! Je ne savais même pas qu'elle savait que Xavier et moi étions en contact ! Je capote. Je pense que je me suis inventé une histoire de *flirt* dans ma tête. Ce gars-là n'a jamais éprouvé d'attirance pour moi !

Éloi : Ne dis pas ça. Tu ne connais pas le fond de l'histoire.

Moi (en enfonçant mon visage dans la poitrine d'Éloi) : J'ai tellement honte. Il sort avec du lilas, et je me sens comme une mauvaise herbe !

Éloi a éclaté de rire. Il m'a invitée à souper chez lui et nous avons regardé un autre film en soirée. Je n'ai pas eu de nouvelles de Xavier depuis hier, et je t'annonce qu'une autre fleur empoisonne maintenant notre existence !

On s'en reparle plus en détail demain. Salue Marilou de ma part !

Jeanne xox

À : Léa_jaime@mail.com
De : Alex514@mail.com
Date : Mardi 3 mars, 16 h 45
Objet : Rongeur heureux !

Salut, bella !
Je sais que vous avez votre journée de filles aujourd'hui, et comme je n'ai pas voulu m'imposer dans votre trip de manucure et de crème hydratante, je t'écris rapidement pour savoir si ça te tente d'organiser quelque chose avec la gang d'ici la fin des vacances. Jeanne m'a dit que vouliez peut-être aller glisser sur le mont Royal avec Éloi, et je trouve que c'est une super bonne idée ! J'en profiterais pour vous présenter officiellement Marguerite. Ben oui, c'est ma blonde. Il faut croire qu'elle m'a eu à l'usure. ;)

En fin de semaine, ça vous irait ? Parles-en aux filles !

Ton-toujours-aussi-irrésistible-Alex ☺

Mardi 3 mars

Félix (en ligne): Hey! Qu'est-ce que vous faites?

17 h 49

Léa (en ligne): On se contemple les ongles et on bitche contre les filles qui portent des prénoms floraux.

17 h 50

Félix (en ligne): Parlant de ça, Marie-Fleur s'en vient avec Zack. Ça vous tente de faire quelque chose avec nous?

17 h 51

Léa (en ligne): Euh! Depuis quand tu m'inclus dans vos activités de faux-intellos-qui-mangent-de-la-crème-de-tofu?

Félix (en ligne): Premièrement, tu le sais que je ne mange pas ces cochonneries-là. Deuxièmement, ce n'est pas la première fois que je t'invite à faire des trucs. Troisièmement, ça va te permettre de mieux connaître mes amis au lieu de porter des jugements disgracieux, et quatrièmement, je n'ai presque pas vu Marilou depuis qu'elle est arrivée, et ça me tente de passer un peu de temps avec vous!

17 h 53

Léa (en ligne): Hum!... C'est louche, ton affaire.

17 h 54

Félix (en ligne): Pas du tout. Pourquoi ne pas vous inclure? Tu peux être distrayante (à tes heures) et ta meilleure amie est *cute*.

17 h 54

Léa (en ligne): Eille! Calme-toi le pompon! Marilou a un chum, et toi, t'as déjà huit blondes. Pas question qu'elle fasse partie de ton harem.

17 h 55

Félix (en ligne): Bon, bon... Alors, ça vous tente de vous joindre à nous ou non?

17 h 55

Léa (en ligne): Ça dépend pour quoi. Pas question que tu me traînes encore dans un bar! J'ai eu ma dose d'humiliation l'année dernière.

17 h 56

Félix (en ligne): Marie-Fleur avait envie d'aller jouer aux quilles. Ça vous tente?

17 h 57

Léa (en ligne): Oui! On adore les quilles!

17 h 57

Félix (en ligne): OK, mais attends-toi à souffrir. Je suis le roi des abats.

17 h 58

Léa (en ligne): C'est ce qu'on va voir! À tout de suite!

À : Léa_jaime@mail.com
De : Marilou33@mail.com
Date : Mercredi 4 mars, 22 h 19
Objet : Saine et sauve !

Salut !
Je voulais juste te dire que je suis arrivée chez moi saine et sauve, et que pour la première fois depuis un bon bout de temps, je sens que j'ai le cœur léger. ☺ Merci pour ces quelques jours passés à Montréal ! J'ai tellement eu de *fun* à discuter avec toi jusqu'aux petites heures du matin, à manger des cochonneries, à jouer à la console avec tes parents (qui l'eût cru !), à me faire torturer les mains avec tes amies et même à faire équipe avec Marie-Fleur lors de notre tournoi de quilles ! C'est vrai que Marie-Poilu est un peu intense (surtout Zack avec ses discours interminables sur l'origine du bowling et ses adjectifs à coucher dehors), mais je suis forcée d'admettre qu'ils sont distrayants, et que j'ai eu beaucoup de plaisir hier soir. Félix était super drôle ! Je voyais qu'il redoublait d'efforts pour me faire rire, et c'est très cool de pouvoir compter sur toi et ta famille pour m'aider à traverser ma tempête familiale.

D'ailleurs, tu remercieras ta mère et ton père pour leur soutien. J'ai trouvé ça cool de pouvoir leur parler et qu'ils me réconfortent. Ils ont peut-être raison de dire que ce sera plus sain pour Zak et moi de voir nos parents plus heureux, même s'ils sont séparés, et qu'il se peut même que ça nous rapproche davantage.

C'est ma mère qui est venue me chercher au terminus. Malgré ses sourires et ses câlins, je l'ai accueillie un peu froidement parce que je sentais qu'elle s'apprêtait à m'annoncer d'autres mauvaises nouvelles. Comme de fait, elle m'a appris dans la voiture que mon père s'était trouvé un appartement juste à côté de mon école (donc à huit minutes de marche de chez nous), et qu'il allait déménager dans environ deux semaines. Elle a insisté sur le fait que ça n'aurait aucun impact sur sa présence dans ma vie et celle de mon frère (*yeah, right!*) et qu'ensemble, nous allions trouver un système qui nous conviendrait.

J'ai aussitôt détourné le regard et j'ai poussé un long soupir. Elle m'a alors pris la main et m'a offert de faire une activité avec elle en fin de semaine pour «passer du temps de qualité entre filles». Elle dit que ça pourrait nous faire du bien. Même si je suis consciente qu'elle s'y prend ainsi pour m'amadouer, je me suis dit que je n'avais rien à perdre. Après tout, la technique a fonctionné pour toi quand tu as déménagé, alors pourquoi ne pas essayer à mon tour?

Zak était super content de me revoir. Il m'a même demandé s'il pouvait camper dans ma chambre pendant quelque temps, et j'ai dit oui. J'ai remarqué que sa demande avait ému ma mère. Elle voit bien que c'est sa façon à lui de démontrer qu'il se sent aussi ébranlé par la séparation. J'ai donc pris la résolution d'être là pour lui. Je tiens à ce qu'il sache que même s'il me gosse souvent, lui et moi sommes inséparables.

JP m'a aussi appelée pour m'inviter à aller chez lui demain. Il paraît qu'il a une surprise pour moi. J'espère juste que ce n'est pas un bouquet de marguerites ! ! Ou de lilas ! Lol ! J'ai tellement ri quand Jeanne et toi parliez de vos allergies aux fleurs. Vous êtes tordantes !

Bon, je vais aller lire une histoire à Zak, mais tu me manques déjà et j'ai très hâte de te revoir !

Lou xox

Vendredi 6 mars

14 h 48

Jeanne (en ligne) : Les filles ! Il faut que je vous parle !

14 h 48

Katherine (en ligne) : Je t'écoute ! Léa ? T'es là ?

14 h 49

Léa (en ligne) : Je suis là ! Je m'apprêtais justement à vous appeler. Alex m'a téléphoné deux fois depuis hier et je n'ai pas répondu parce que je ne sais pas quoi lui dire. Je sais que c'est méchant, mais je n'ai pas envie de fraterniser avec sa fleur.

14 h 49

Katherine (en ligne) : Beurk !

Jeanne (en ligne): Ish! Attends d'entendre mon histoire... Imagine-toi donc que Xavier m'a aussi relancée plusieurs fois depuis deux jours. Monsieur m'a expliqué que sa blonde avait fouillé dans son Facebook et qu'elle lui avait fait une crise de jalousie en tombant sur nos conversations. Il lui a promis que je n'étais qu'une amie, mais comme elle continuait à douter, il a été forcé de l'inviter à se joindre à nous la fin de semaine dernière.

14 h 52

Léa (en ligne): J'espère qu'il a changé son mot de passe, parce que ses explications sont aussi louches que son comportement. L'as-tu banni de tes amis?

14 h 53

Jeanne (en ligne): Non. Je sais que c'est bizarre, mais on dirait que je tiens vraiment à sauver mon honneur et mon orgueil dans tout ça... Je lui ai donc répondu ceci: «Pas de problème! De toute façon, nous n'avons rien à cacher puisque nous ne sommes vraiment que des amis. C'est d'ailleurs pour ça que j'avais amené mon chum l'autre jour.»

14 h 55

Katherine (en ligne): OMG ! Tu lui as fait croire qu'Éloi était ton chum ?

14 h 56

Jeanne (en ligne): Oui. Il m'a écrit qu'il était surpris de l'apprendre comme il n'avait vu aucun rapprochement entre Éloi et moi au cinéma. Je lui ai donc fait croire que c'était tout nouveau et que nous étions follement amoureux !

14 h 57

Léa (en ligne): OK. Et qu'est-ce qu'il a répondu ?

14 h 58

Jeanne (en ligne): Que puisque nous étions tous les deux en couple, rien ne nous empêchait de rester amis. Il a alors proposé de refaire une activité avec Éloi et Lilas pour «prouver à sa blonde qu'elle n'avait rien à craindre et pour mieux connaître celui qui avait réussi à conquérir mon cœur.» Il n'arrêtait pas d'insister. Comme je n'avais aucune envie de revivre un moment aussi désagréable qu'au cinéma, j'ai fini par craquer et par les inviter à venir glisser avec nous demain sur le mont Royal.

14 h 59

Katherine (en ligne): Es-tu en train de nous dire que Xavier et sa Lilas vont être présents?

15 h 00

Jeanne (en ligne): Oui! Ainsi qu'Alex, Marguerite et mon faux chum Éloi. Sans oublier Olivier, qui court après Léa, mais qui se fait peut-être influencer par le méchant José! Bref, notre sortie relaxe est en train de se transformer en mélodrame floral!

15 h 02

Léa (en ligne): Mets-en! Manque plus que Marie-Fleur pour se faire un énorme bouquet!

15 h 03

Katherine (en ligne): Quoiqu'avec Lilas et Marguerite, on a déjà droit à un bel aménagement paysager!

15 h 03

Jeanne (en ligne): Lol! Je m'excuse, les filles! Si cette journée se transforme en catastrophe végétale, j'en assumerai la responsabilité!

Léa (en ligne): En tout cas, on ne s'ennuiera pas ! ;)

15 h 06

Katherine (en ligne): Ha, ha ! Oh que non ! D'ailleurs, pourquoi ne pas se rejoindre chez moi demain, avant de se rendre là-bas ? On pourra se préparer psychologiquement à l'aventure traumatisante qui nous attend.

15 h 07

Jeanne (en ligne): Bonne idée ! Je serai chez toi vers midi !

15 h 08

Léa (en ligne): Moi aussi ! À demain, les filles ! ☺

15 h 09

Katherine (en ligne): À demain ! *Luv!*

À : Marilou33@mail.com
De : Léa_jaime@mail.com
Date : Dimanche 8 mars, 13 h 19
Objet : Comment survivre à une floraison de nunuches

Coucou !
Je suis contente de voir que ton retour se déroule bien. En plus, tu avais l'air super contente de ton nouveau cadeau quand on s'est parlé vendredi. Le chandail en laine que JP t'a acheté est vraiment beau. Je suis même un peu jalouse et je t'annonce déjà que je vais te l'emprunter quand on va se revoir ! ☺

Et à la maison, comment ça se passe ? Est-ce que Zak dort encore sur un petit matelas au pied de ton lit ou est-ce qu'il a regagné sa chambre ? Est-ce que ça va mieux avec tes parents, ou tu les boudes encore ? Comment s'est déroulée la journée avec ta mère ? Raconte-moi tout !

De mon côté, j'ai connu une fin de semaine assez tumultueuse. Comme tu le sais, c'est hier que je suis allée glisser sur le mont Royal avec Alex et sa blonde, Xavier et sa Lilas, Jeanne, Éloi, Katherine et Olivier.

Parlant d'Olivier, les menaces de José ne l'ont pas empêché d'être à mes côtés durant toute la journée. Alors que je m'apprêtais à exécuter ma première descente de *crazy carpet*, il s'est même faufilé derrière moi et m'a enlacée pour dévaler la pente. On a atterri dans un gros banc de neige et on a éclaté de rire. Alex est arrivé juste après nous.

Alex : Léa ! C'est à mon tour de te faire tomber !
Moi (en secouant mon habit de neige) : Je vais reprendre mes esprits avant.

J'ai alors surpris Marguerite qui nous observait du coin de l'œil. Elle m'a lancé un regard noir.

Comme les nunuches n'étaient pas là, je me sentais beaucoup moins intimidée par sa présence ou ses mimiques. Mais ne va surtout pas croire qu'elle est devenue ma *best* pour autant; j'ai au contraire eu la preuve qu'elle est aussi tordue et détestable que ses acolytes... J'y reviens un peu plus tard.

Après s'être assurée que je la regardais, Marguerite a couru vers nous et s'est jetée dans les bras d'Alex.

Marguerite (en prenant une voix d'enfant) : Bébé, j'ai froid ! Réchauffe-moi !

Olivier l'a imitée tout bas. Je me suis tournée vers lui avec un air surpris et j'ai éclaté de rire.

Olivier (en me prenant par le bras pour qu'on remonte tranquillement la pente ensemble) : C'est plus fort que moi. Ça m'énerve les filles qui jouent aux princesses éplorées.

Moi : Je pensais que Marguerite était ton amie !

Olivier m'a regardée bizarrement.

Olivier : Euh, non ! Qu'est-ce qui t'a fait penser ça ?

Moi : Ben, c'est une amie de Marianne, qui est amie avec Maude, qui sort avec José, qui est ton ami.

Olivier : Les amies de mes amis ne sont pas nécessairement mes amies, Léa. Je ne suis pas influençable à ce point-là.

Voilà une déclaration qui me rassure un peu.

L'autre absurdité de la journée, c'était de voir Jeanne et Éloi qui devaient faire semblant d'être un couple devant Xavier et sa blonde Lilas. Ils ont donc passé la journée à glisser en tandem et à se prendre par la main.

Je voyais bien que Lilas était jalouse de Jeanne. Elle la surveillait de la même façon que Marguerite me toisait et s'empressait de se coller à son chum dès que Jeanne s'adressait à lui.

Je comprends la confusion de Jeanne, car Xavier est vraiment difficile à lire. D'un côté, il n'était pas réticent quand Lilas l'embrassait ou l'attirait vers elle, mais il ne semblait pas non plus enchanté quand Éloi enlaçait

Jeanne. Il s'agit peut-être du genre de gars qui veut l'attention de toutes les filles pour se sentir aimé.

Après deux heures de glissade, j'avais les pieds gelés alors j'ai proposé aux autres de prendre un chocolat chaud au café du coin. Lilas et Xavier ont dû partir, mais tous les autres ont accepté mon offre.

Je me suis assise entre Katherine et Jeanne et j'ai posé mes mains sur ma tasse pour me réchauffer.

Alex (en me regardant avec un drôle d'air) : T'es *cute* ! Tu fais toujours ça quand t'as froid. Comme si la tasse pouvait réchauffer tout ton corps.
Moi : Mais je te jure que ça fonctionne !
Alex : Est-ce que je peux mettre mes orteils dans ta tasse, alors ? J'ai froid aux pieds.
Moi : Beurk ! Pas question ! Ça va goûter le fromage !

On a éclaté de rire et j'ai vu le regard de Marguerite s'assombrir.

Marguerite (en s'accrochant au bras d'Alex) : Moi, quand j'ai froid, je demande à mon chum de me réchauffer. Pas vrai, bébé ?

Beurk ! Décidément, ce n'est pas une journée très édifiante pour les fleurs de ce monde.

Éloi (en se collant contre Jeanne) : Et toi, bébé ? Est-ce que t'as froid ?

Jeanne (en repoussant Éloi, le sourire aux lèvres) : Euh, décolle, faux chum ! Le petit couple est parti, alors on n'a plus à faire semblant.

Katherine : Parlant de ça... Je pense qu'il ne t'aime pas juste en amie, Jeanne.

Moi : Je suis d'accord. Il avait l'air trop *fru* quand Éloi te collait !

Marguerite (en dévisageant Jeanne et Éloi) : Hein ? Vous n'êtes pas un vrai couple ? Pourtant, vous allez tellement bien ensemble. Presque autant qu'Oli et Léa.

J'ai détourné le regard, un peu mal à l'aise.

Alex : Léa et Olivier ne forment pas un couple, chérie.

Marguerite (en se tournant vers lui comme si je n'étais pas là) : Ah non ? Alors, pourquoi est-ce qu'ils sont toujours ensemble ?

Moi (en plissant les yeux) : Parce qu'il est mon ami. Comme Éloi et Alex.

Marguerite (d'un ton faussement moqueur) : Désolée pour le malentendu, Léa, mais comme tu les as tous embrassés, ça porte à confusion.

Euh, pardon ? Mais de quoi je me mêle ? ! Ça y est ! La guerre était officiellement déclarée.

Alex a toussoté et Éloi s'est empressé de changer de sujet avant que je rétorque quelque chose et que ça s'envenime davantage. Mais je n'avais plus la tête à bavarder. Marguerite m'avait mise de mauvaise humeur.

Moi (en repoussant mon chocolat chaud) : Les amis, il faut que je file... Mes parents m'attendent.

Katherine et Jeanne sont parties avec moi et nous avons marché jusqu'au métro, ce qui m'a permis de me défouler avec elles et de retrouver mon sang-froid.

Je sais qu'Alex voudrait que sa blonde et moi soyons des amies, mais il ne peut pas forcer deux filles à s'entendre, surtout quand l'une d'elles (celle dont le prénom représente une plante pouvant dépérir) est l'incarnation du diable.

Bon, il faut vraiment que je retourne à mes devoirs et à mon article de journal (qui porte ironiquement sur les chicanes de filles !)

Écris-moi dès que tu peux !
Léa xox

Mercredi 11 mars

19 h 57

Alex (en ligne): Salut, Miss Indépendante! Je t'ai à peine vue depuis le début de la semaine.

19 h 58

Léa (en ligne): Salut! Ouais, j'ai été super occupée avec le journal et les travaux scolaires.

19 h 58

Alex (en ligne): Ben, ça ne t'empêche pas de passer du temps avec Olivier! Pourquoi n'ai-je pas droit au même privilège?

19 h 59

Léa (en ligne): C'est parce qu'Olivier participe aussi au journal, et qu'on en profite pour faire nos devoirs ensemble. J'aurais bien aimé dîner avec toi, mais comme tu as rejoint la table des nunuches, je préfère m'abstenir.

Alex (en ligne): Ouin, Marianne est un peu envahissante depuis que je sors avec son amie, mais je te promets que demain midi, c'est toi et moi et personne d'autre !

Léa (en ligne): Cool! Mais assure-toi que ta blonde est au courant. Je ne voudrais pas qu'elle pense qu'on sort ensemble simplement parce qu'on partage un repas.

Alex (en ligne): Allez, Léa! Passe l'éponge, s'il te plaît! Je t'ai déjà dit mille fois à l'école que c'était une erreur de jugement de sa part.

Léa (en ligne): Et moi, je t'ai répondu toutes les fois que ce n'était pas une erreur, mais plutôt un geste calculé. Marguerite ne m'aime pas, et c'est très clair.

20 h 03

Alex (en ligne): Ne dis pas ça. Je crois qu'elle se sent juste un peu menacée étant donné notre historique. Je lui ai fait comprendre que tu étais mon amie et qu'elle devait l'accepter.

20 h 04

Léa (en ligne): Quel historique? Notre semaine de «fréquentation» qui date de plus d'un an? Ben, là! Qu'elle en revienne! En plus, elle est super fine avec Jeanne, qui est officiellement ton ex, alors ta théorie ne tient pas debout. Ta blonde est *best* avec les nunuches. C'est ça, le problème.

20 h 05

Alex (en ligne): Léa, s'il te plaît... Fais un effort, OK? Tu m'as demandé la même chose pour Olivier il y a quelques semaines et j'ai accepté parce que je tiens à notre amitié. C'est super important pour moi que tu t'entendes bien avec Marguerite. Je n'ai pas envie de me sentir coincé entre vous deux.

20 h 06

Léa (en ligne): OK. Je vais faire un effort. Mais tu dois lui faire promettre de changer d'attitude.

20 h 06

Alex (en ligne): *Deal !* Maintenant que c'est réglé, est-ce qu'on peut dîner ensemble demain, s'il te plaît ?

20 h 07

Léa (en ligne): OK. à condition que tu me paies un brownie ! Tu m'en dois encore un, après tout.

20 h 07

Alex (en ligne): Promis ! À demain, rongeur de mon cœur !

Le Blogue de Manu

Inscris un titre : Elle m'énerve

Écris ton problème : Salut, Manu ! Pour faire changement, je ne t'écris pas pour te parler d'un garçon, mais plutôt d'un conflit avec une fille. Il s'agit de Marguerite, la nouvelle blonde de mon bon ami Alex. Elle est super proche des nunuches, et je vois bien qu'elle ne m'aime pas. Honnêtement, je n'arrive pas non plus à la sentir, mais Alex m'a demandé de faire un effort parce que c'est important pour lui que nous nous entendions bien.

Je sens que je lui dois bien ça puisque je lui ai demandé de faire la même chose avec Olivier, un gars de mon école avec qui je passe beaucoup de temps et qu'Alex n'arrivait pas à supporter. En résumé, j'aimerais savoir comment arriver à m'entendre avec Marguerite, ou du moins à faire semblant de la tolérer pour ne pas faire souffrir Alex.

J'espère que tu pourras m'aider !

Léa xox

Manu répond à deux questions par semaine. Tu seras peut-être choisie...

Chapitre 8 :
Après la pluie, le beau temps !

À : Léa_jaime@mail.com
De : Marilou33@mail.com
Date : Vendredi 13 mars, 17 h 45
Objet : La revanche de la servante

Coucou, Léa !

Comment vas-tu ? Est-ce que les fleurs du mal ont encore frappé cette semaine ? Comment se passe le retour en classe ? Arrives-tu à t'en sortir malgré tes tonnes de devoirs ? Est-ce que le couple maudit t'ignore encore depuis que José t'a attaquée sur Skype ?

Je t'annonce que les choses vont (enfin) un peu mieux à la maison. Ma mère et moi sommes allées manger au restaurant dimanche dernier et j'ai décidé de faire un effort pour l'écouter et pour exprimer ce que je ressentais au lieu de bouder.

Ma mère : Je sais que la séparation te fait de la peine et que ça va te prendre un peu de temps pour t'ajuster, mais je ne veux pas que tu sois en colère contre nous, Marilou. Les problèmes que nous éprouvons n'ont rien à voir avec vous, et ne va pas croire que nous « abandonnons » la famille parce que nous nous séparons.

Moi (d'une petite voix) : J'ai dit ça parce que j'avais mal, maman. Je suis assez grande pour comprendre que Zak et moi n'avons rien à voir là-dedans. C'est juste poche d'apprendre que vous vous séparez, et que nous devrons faire des va-et-vient toutes les semaines. J'ai toujours trouvé ça plate pour les gens de ma classe qui avaient à vivre ça... et je ne croyais pas que ça m'arriverait un jour.

Ma mère (en prenant ma main) : Qu'est-ce que je peux faire pour t'aider ?

Moi (en consultant le menu) : Me laisser manger une grosse poutine sans rechigner ?

Ma mère (en riant) : OK. Et je vais même me joindre à toi. Ça va me faire du bien de manger des frites !

Après avoir passé notre commande, j'ai pris une gorgée d'eau et j'ai levé les yeux vers ma mère.

Moi : Et comment est-ce qu'on va s'arranger pour la garde ?

Ma mère : Ton père et moi nous séparons d'un commun accord, et nous sommes en bons termes, ma chérie. Notre objectif est de trouver une solution qui vous convienne à toi et à ton frère.

Moi : J'en ai parlé à Zak. Je pense qu'une semaine de chaque côté nous conviendrait. Ça va nous permettre de vous voir également tous les deux sans devoir déménager tous les jours.

Ma mère : OK. Ça me paraît juste, même si vous allez me manquer une semaine sur deux.

Moi : On va être à trois rues. Je suis sûre qu'on pourra s'arranger pour se voir.

Ma mère m'a souri et a serré ma main un peu plus fort.

Ma mère : Merci, Lou.

Moi : Pourquoi tu me remercies ?

Ma mère : Pour être assez mature pour faire la part des choses même si tu as de la peine et que je sais qu'une partie de toi nous en veut beaucoup.

Moi (en baissant les yeux) : De rien.

Les jours qui ont suivi ont été beaucoup moins tendus à la maison, et Zak a peu à peu retrouvé son entrain. Il a regagné son lit hier soir, et mes parents nous ont promis un super voyage chez Ikea pour choisir le mobilier de notre nouvelle chambre chez mon père. Même si c'est encore un peu irréel, je suis contente de constater qu'ils sont capables de coexister pour nous rendre la vie plus facile.

La bonne nouvelle dans tout cela, c'est que j'ai pu puiser dans toutes ces émotions pour jouer une scène importante dans le cours de théâtre aujourd'hui.

Il s'agissait d'une confrontation entre la reine et sa servante. J'avais tellement de colère accumulée à l'intérieur de moi que j'en ai profité pour crier au visage de Sarah et faire des mimiques devant toute la classe. À la fin de la scène, les élèves m'ont applaudie et la prof m'a félicitée.

La prof : Bravo, Marilou ! Je sens que tu retrouves l'aplomb que tu avais au tout début de la session.

Moi : Merci, mais c'est vraiment grâce à vos conseils ! Je me suis simplement inspirée de ce que je ressentais pour interpréter mon rôle.
La prof : Et c'est exactement ce que j'attends de vous !

Sarah est descendue de scène sans dire un mot, mais je voyais bien qu'elle bouillait à l'intérieur. À la fin du cours, Odile est venue la rejoindre dans l'auditorium.

Odile (en me dévisageant) : Tu viens, Sarah ? Géraldine, Thomas et JP nous attendent. On va dîner au casse-croûte.
Sarah (en se tournant vers moi) : Voilà un rendez-vous qui risque aussi de réveiller ta colère ! *Ciao*, Marilou !

J'ai pris une profonde inspiration pour me calmer. JP m'avait déjà prévenue qu'il allait dîner avec eux et m'a répété à mille reprises que je n'avais rien à craindre. La meilleure chose à faire était de respirer par le nez et de faire confiance à mon chum. L'important, c'est que j'avais réussi à maîtriser ma scène et à dominer la reine, même si je n'étais que sa servante !

Après l'école, j'ai rejoint JP à son casier et je me suis arrangée pour l'embrasser passionnément au moment où Sarah et sa gang passaient dans le coin. Même si je redouble d'efforts pour ne pas me laisser gagner par la jalousie, rien ne m'empêche de marquer mon territoire dès que l'occasion se présente.

Je te laisse, car j'ai promis à Zak de l'accompagner au dépanneur. Il fait très doux aujourd'hui, et l'odeur de printemps me donne l'espoir que tout ira bientôt beaucoup mieux. ☺

Écris-moi !
Lou xox

À : Marilou33@mail.com
De : Léa_jaime@mail.com
Date : samedi 14 mars, 13 h 12
Objet : Quinze ans et onze-mois-plus-un-jour

Coucou, Lou !
Je suis tellement contente de voir que les choses commencent tranquillement à se replacer chez toi. Je sais que le déménagement ne sera pas de tout repos, et que ça va faire bizarre la première fois que tu iras visiter ton père « chez lui », mais je suis certaine que tu finiras par t'y faire. Et d'ici là, je suis là pour toi.

Ici, c'est encore un peu la folie à l'école. On dirait que dès que je remets un travail ou que je termine un examen, je dois déjà me préparer pour le suivant. En plus, mes parents n'arrêtent pas de souligner l'importance de mes notes pour ma demande d'admission au cégep. Allo, la pression ! J'avoue tout de même que chaque fois que mon père évoque l'idée du « grand changement » qui m'attend (il prononce toujours ces paroles d'un air ému), je sens une boule d'excitation dans mon ventre. J'ai tellement hâte d'avoir un horaire plus relax et de vivre le genre de vie que Félix est en train de mener. Réalises-tu que dans un an et demi on termine le secondaire ? Est-ce que ça te fait capoter autant que moi ?

Une autre chose qui me donne envie d'aller au cégep, c'est de me dire que je serai sûrement enfin débarrassée des nunuches et de leurs chums. Tu auras deviné que la situation est encore tendue entre José, Maude et moi. Je dirais même qu'elle a pris des proportions démesurées depuis l'altercation qui a eu lieu hier après-midi.

Jeanne et moi étions en train de discuter de nos plans pour la fin de semaine devant mon casier.

Jeanne : On pourrait faire quelque chose demain soir ?
Moi : OK, mais juste avec toi et Katherine. Je ne suis pas encore prête à me taper une autre activité avec du monde qui ne m'aime pas...

José et Maude sont alors apparus devant nous.

José (en me dévisageant) : Pauvre Léna. Si tu organises une activité avec des gens qui t'aiment, je ne pense pas qu'il y ait grand-monde.
Jeanne (en soupirant) : Laisse-la tranquille, José.

Maude : Jeanne a raison, mon chéri. Tu devrais l'ignorer. Sinon, la cruche va encore inventer des histoires à ton sujet.

Jeanne (en avançant vers Maude) : Maude, c'est vraiment toi la cruche si tu préfères croire ton chum.

Maude a eu l'air déstabilisé pendant quelques minutes.

Maude : C'est évident que je vais croire mon chum avec qui je sors depuis trois ans plutôt qu'une fille qui est prête à tout pour attirer l'attention.

Olivier est arrivé à cet instant et s'est frayé un chemin jusqu'à son casier.

Maude (en souriant et en battant des cils) : Oliiii ? Peux-tu dire à Jeanne que Léa est folle et qu'il ne faut pas qu'elle croie ce qu'elle raconte ?

Olivier a dévisagé Maude pendant quelques secondes, puis son regard s'est tourné vers José, qui lui a fait de gros yeux.

J'ai retenu mon souffle.

Olivier : Je pense que j'aime mieux ne pas me prononcer.

José (en se penchant vers Maude) : Chérie, n'implique pas Olivier là-dedans. C'est Léa, le problème.

Olivier (en fermant son casier d'un coup sec) : *Dude*, gère tes problèmes de couple avec ta blonde et laisse Léa tranquille !

Jeanne et moi avons échangé un regard surpris.

Jeanne : Je suis tout à fait d'accord avec Olivier.
Maude (en nous dévisageant) : Beurk ! Qui se ressemble s'assemble.
Moi (en les dévisageant à mon tour) : C'est le cas de le dire.

J'ai tourné les talons et je suis partie, suivie de près par Jeanne.

Jeanne : Je capote ! Ils ont vraiment le don de me mettre dans tous mes états.
Moi : Bienvenue dans mon monde.
Jeanne : En tout cas, j'ai adoré ta dernière réplique ! Et que dire d'Olivier qui s'est porté à ta défense ? !
Moi : Ouais... C'était vraiment cool de sa part. Je sais qu'il est ami avec José, alors ça n'a pas dû être évident...
Olivier (en se matérialisant derrière nous) : C'était pas mal plus évident que tu penses.
Jeanne (en voulant nous laisser seuls) : Euh ! Je vais rejoindre Alex au café étudiant. Léa, je t'appelle plus tard !

Olivier et moi nous sommes installés à une table de la cafétéria.

Moi : Merci pour ton intervention.

Olivier : C'était la moindre des choses.

J'ai poussé un long soupir.

Moi : Dire que si je n'avais rien dit à Maude, toi et moi
n'en serions pas là aujourd'hui.

Olivier : Et si José ne l'avait pas trompée, on n'en serait
pas là non plus.

J'ai souri.

Moi : J'espère que je n'ai pas ruiné votre amitié.
Même si je n'aime pas José, je ne veux pas causer de
problèmes entre vous deux...

Olivier : Ne t'en fais pas pour ça. Je pense juste qu'à
l'avenir, il sera plus discret dans ses indiscrétions.

Moi (en me mordant la lèvre) : Est-ce que je peux te
poser une question un peu directe ?

Olivier : Vas-y.

Moi : Ça ne te dégoûte pas qu'il agisse comme ça avec
les filles ?

Olivier a réfléchi quelques secondes.

Olivier : Oui, mais sa façon de traiter sa blonde ne
m'appartient pas, Léa. Ça n'a rien à voir avec moi et ça
ne change rien au *fun* qu'on peut avoir ensemble.

Moi (en poussant un peu plus loin) : Tu veux dire au *fun* que vous avez... en niaisant des filles ?

Olivier (en haussant un sourcil) : Non... au *fun* qu'on peut avoir à déconner, ou à regarder le hockey, ou à jouer au basket.

Il s'est interrompu quelques instants, puis il s'est tourné vers moi.

Olivier : Pourquoi tu me demandes ça ? Tu penses vraiment que je passe mes soirées à *cruiser* des filles et à regarder José qui trompe sa blonde ? J'espère que tu me connais maintenant assez bien pour savoir que ce n'est pas mon genre.

Moi (en baissant la voix) : Ben, c'était ton genre en début d'année.

Olivier (sur la défensive) : On doit encore revenir là-dessus ? Je sais que j'ai été con de fréquenter Maude juste après toi, mais je me suis excusé mille fois, et on ne sortait même pas ensemble, Léa.

Moi : Ouais, je sais ! Désolée. Je pense que je suis encore traumatisée de t'avoir « partagé » avec ma meilleure ennemie.

On est restés silencieux quelques instants.

Olivier : Tu ne me croiras peut-être pas, mais j'ai toujours été fidèle avec mes blondes. Et le gars que tu as connu au début de l'année, ce n'était pas vraiment moi. C'était plutôt mon alter ego diabolique !

J'ai éclaté de rire, ce qui a détendu l'atmosphère.

Moi : Et je peux te poser une autre question personnelle ?
Olivier : Ce que tu veux.
Moi : Il y a en eu combien, des-blondes-que-tu-n'as-pas-trompées ?

Olivier a souri.

Olivier : Trois, mais j'ai seulement été amoureux une fois. Toi ? Combien de chums meurtris par ton charme ?
Moi : Deux. Thomas et Éloi.
Olivier : Et Alex ?
Moi : Je suis autant sortie avec Alex que tu es sorti avec Maude... ou moi !
Olivier : Je vois...
Moi : Il ne faut pas que tu croies tout ce que raconte Marguerite.
Olivier (en me souriant d'un air charmeur) : Donc il ne faut pas que je croie qu'on formerait un beau couple ?

J'ai souri en guise de réponse et je lui ai donné un baiser sur la joue. J'ai ramassé mon manteau et mon sac d'école et je me suis levée pour partir.

Moi : Bonne fin de semaine, Oli.

La vérité, c'est que je ne savais pas comment répondre à sa question, et que je préfère prendre le temps d'y réfléchir.

J'espère que tu passes une fin de semaine moins chargée de devoirs que moi. Fais-moi signe quand tu veux me parler sur Skype !

Léa xox

Mercredi 18 mars

18 h 03

Marilou (en ligne): Félix?

18 h 04

Félix (en ligne): Je rêve! Marilou qui daigne m'adresser la parole. Moi, le pauvre frère de sa *best*!

18 h 05

Marilou (en ligne): Ouais, c'est ça! Tu fais tellement pitié! Par curiosité, combien de filles te courent après en ce moment?

18 h 06

Félix (en ligne): Seulement quelques-unes, mais j'ai espoir de faire une remontée spectaculaire avec l'arrivée du printemps. Ceci dit, sache qu'il y a toujours de la place pour toi! ;)

Marilou (en ligne): Ha, ha, ha! Ne te fais pas d'illusion! Je ne t'écris pas parce que je n'arrive pas à résister à ton charme ni parce que je n'arrive pas à te chasser de mon esprit depuis que je t'ai vu dans tes petits souliers de bowling.

18 h 08

Félix (en ligne): Dommage!... ☺ Mais alors, qu'est-ce qui me vaut l'honneur de ta soudaine présence sur mon Skype?

18 h 09

Marilou (en ligne): Ta sœur! ☺

18 h 10

Félix (en ligne): Tu la cherches? Elle est partie faire l'épicerie avec mon père, mais elle doit sûrement avoir son cellulaire.

18 h 11

Marilou (en ligne): Non, je ne la cherche pas! Je profite au contraire de son absence pour te parler de son anniversaire...

Félix (en ligne): Je t'écoute!

Marilou (en ligne): J'ai eu l'idée de lui organiser une fête-surprise!

Félix (en ligne): Pas pire comme idée! Mais si on fait quatre heures de route jusque chez toi sans raison, elle risque de s'en douter.

Marilou (en ligne): C'est pour ça qu'il faut l'organiser à Montréal! Et si on planifiait ça le 4 avril, je pourrais être là, et c'est sûr qu'elle ne s'en douterait pas!

Félix (en ligne): C'est clair qu'elle capoterait de te voir ici!

Marilou (en ligne): Avoue! Je pourrais prendre l'autobus du matin pour arriver à Montréal vers 14 h, ce qui me donnerait le temps de vous aider à décorer. Si tes parents sont d'accord, je proposerais de faire ça chez vous. Je pourrais écrire à Katherine et Jeanne pour qu'une d'elles s'occupe de la distraire jusqu'à l'heure du souper, puis, lorsqu'elle rentrerait à la maison, elle ferait une syncope en apercevant tous ses copains dans son salon!

18 h 16

Félix (en ligne): Super! Je vais en parler à mes parents dès que j'en aurai la chance.

18 h 16

Marilou (en ligne): Cool! Et moi, je vais créer un évènement secret sur Facebook.

18 h 17

Félix (en ligne): OK! On se redonne des nouvelles très bientôt pour planifier le reste!

18 h 17

Marilou (en ligne): Oui! Bonne soirée! xxx

18 h 18

Félix (en ligne): À toi aussi! xxxx (quatre becs pour toi.)

18 h 18

Marilou (en ligne): Wow! Je suis gâtée! Tiens, en voilà un dernier pour équilibrer le tout: x

18 h 19

Félix (en ligne): Merci! ☺

📱 **19-03 20 h 24**

Rongeur, pourquoi tu ignores mes appels?

📱 **19-03 20 h 25**

Alex, désolée pour la réponse tardive. Je suis restée tard à l'école et j'ai rejoint directement mes parents dans un restaurant près de chez moi.

📱 **19-03 20 h 26**

Qu'est-ce qui t'a retenue à l'école aussi longtemps? La nouvelle couleur saumon du local d'informatique?

📱 **19-03 20 h 27**

Éric et Éloi capotaient parce qu'il y avait plein d'erreurs dans le prochain numéro du journal, alors Olivier et moi sommes restés pour les aider.

📱 **19-03 20 h 28**

Parlant de lui, tu sauras que nous avons eu une longue conversation ce matin à propos des Canadiens. Tu avais raison; il n'est pas si mal comme gars!

📱 19-03 20 h 29

Tu vois? Comme quoi tout est possible et vous serez bientôt de grands amis!

📱 19-03 20 h 37

Est-ce que je peux espérer la même chose entre Marguerite et toi?

📱 19-03 20 h 38

Pour ça, il faudrait avoir quelque chose en commun...

📱 19-03 20 h 39

Ben, il y a moi. Et elle adore magasiner, elle aussi!

📱 19-03 20 h 40

Toutes les filles aiment magasiner! ;)

📱 19-03 20 h 41

Hum!... Elle aime aussi chanter du Katy Perry quand elle fait chauffer son lunch?

📱 19-03 20 h 41

Ah! N'importe quoi! Il n'y a que moi qui suis assez épaisse pour chanter dans la cafétéria sans m'en rendre compte!

📱 19-03 20 h 42

OK, j'avoue. Mais je suis sûr que vous trouverez d'autres affinités en passant un peu de temps ensemble.

📱 19-03 20 h 43

Où veux-tu en venir, Alex?

📱 19-03 20 h 43

Je sais que la dernière expérience n'a pas été *full* fructueuse, mais j'aimerais ça organiser quelque chose avec elle et vous tous en fin de semaine.

📱 19-03 20 h 44

Qu'est-ce que tu proposes?

📱 19-03 20 h 44

Samedi soir, soirée relaxe chez moi. Éloi, Jeanne, Kath et Marguerite.

📱 19-03 20 h 45

Est-ce que je peux aussi inviter Olivier ?

📱 19-03 20 h 46

OK. Il y a une *game* ce soir-là ! ;) Cool ! Je vais tout de suite inviter les autres ! ☺ Bonne nuit, Rongeur !

📱 19-03 20 h 48

Bonne nuit, Alex !

Samedi 21 mars

13 h 22

Jeanne (en ligne): Tu ne devineras jamais qui vient de me faire une petite crise de jalousie sur Facebook!

13 h 23

Léa (en ligne): Laisse-moi deviner? Xavier?

13 h 23

Jeanne (en ligne): Oui! Comme on s'écrit moins souvent depuis la relâche, il m'a demandé si c'était parce qu'Éloi était jaloux et qu'il m'interdisait de lui parler!

13 h 24

Léa (en ligne): NON?!? Qu'est-ce que tu as répondu?

13 h 24

Jeanne (en ligne): Qu'au contraire, Éloi était un chum pas du tout contrôlant et qu'il me faisait confiance.

13 h 25

Léa (en ligne): Wow! Éloi a une cool fausse personnalité!

13 h 25

Jeanne (en ligne): Je sais! J'ai créé le gars parfait!

13 h 25

Léa (en ligne): Et il t'a répondu?

13 h 26

Jeanne (en ligne): Ouais! Voici sa réponse: «Alors pourquoi est-ce que je te sens distante depuis quelques semaines? Je trouve ça poche de sentir que je te perds. Je tiens vraiment à ton amitié.»

13 h 26

Léa (en ligne): Il capote! Ce n'est pas comme si vous étiez *best* depuis dix ans! Il te connaît à peine depuis trois mois!

Jeanne (en ligne): Je sais! Je pense qu'il est avant tout fâché de sentir que je suis devenue insensible à son charme, et que je n'ai pas envie qu'il m'utilise pour jouer dans le dos de sa blonde.

13 h 28

Léa (en ligne): Sans compter que tu es maintenant dans une fausse relation sérieuse. Alors, qu'est-ce que tu comptes faire?

13 h 29

Jeanne (en ligne): Ignorer ses messages et le sortir de ma vie.

13 h 30

Léa (en ligne): Je pense que c'est pour le mieux. Après tout, tu n'es pas à la recherche d'un nouveau *best*!

13 h 30

Jeanne (en ligne): Exact! De toute façon, je ne veux pas être son amie. J'aurais voulu plus, mais ce n'est pas possible pour l'instant.

13 h 31

Léa (en ligne): Et tu prévois toujours venir chez Alex, ce soir?

13 h 31

Jeanne (en ligne): Oui. Katherine vient me rejoindre ici avant. Elle a besoin de bitcher contre les gars, elle aussi!

13 h 32

Léa (en ligne): Parce que Nathan ignore encore son existence?

13 h 32

Jeanne (en ligne): C'est le cas de le dire! Elle l'a salué hier à la sortie de l'école, et il ne lui a même pas répondu!

13 h 33

Léa (en ligne): Ben, voyons! Il a le cerveau d'un géranium ou quoi?

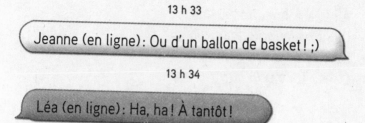

13 h 33

Jeanne (en ligne): Ou d'un ballon de basket! ;)

13 h 34

Léa (en ligne): Ha, ha! À tantôt!

À : Léa_jaime@mail.com
De : Marilou33@mail.com
Date : samedi 21 mars, 19 h 22
Objet : Ça y est !

Salut !

Eh bien, ça y est ! Je fais officiellement partie d'une famille éclatée, puisque mon père a emménagé dans son appartement aujourd'hui. Ce qui est bizarre, c'est qu'il a fait ses boîtes avec ma mère, comme si de rien n'était. Pendant quelques instants, j'ai presque oublié qu'ils n'étaient plus ensemble. C'est seulement quand le camion U-Haul a quitté le stationnement de la maison que j'ai compris que c'était bel et bien vrai.

Je me suis alors écrasée sur le sofa du salon et ma mère est venue me rejoindre en poussant un long soupir.

Ma mère : Pas facile, comme journée.
Moi : *Nope.*
Ma mère : Je suis contente que Zak soit chez son ami Matisse. Je ne voulais pas qu'il assiste à ça.
Moi : Je comprends.
Ma mère : Et je ne voulais pas non plus que tu vives ça, ma chérie. Pourquoi tu n'es pas allée chez JP ou Steph comme je te l'avais suggéré ?

J'ai haussé les épaules.

Moi : Ça ne sert à rien de me mettre la tête dans le sable. Je voulais affronter la réalité.

Ma mère : Et comment te sens-tu ?

Moi (en me tournant vers ma mère) : Bof !

J'ai senti les larmes me piquer les yeux. Ma mère aussi se retenait de pleurer.

Ma mère : Ouais ! Je comprends.

On a décidé de s'emmitoufler devant la télé et de regarder un film en mangeant du popcorn. Elle vient aussi de commander une pizza qui devrait arriver d'une minute à l'autre. Même si j'ai le cœur gros, j'avoue que ça me fait du bien de partager tout ça avec elle. Ça me fait sentir moins seule.

Demain, j'ai promis à mon père de passer chez lui pour voir ma nouvelle chambre, puis nous irons au Ikea pour choisir mon mobilier et celui de Zak. Je prévois aussi manger une grande portion de boulettes suédoises en ton honneur.

J'espère que tu passeras une belle soirée chez Alex et que sa Marguerite sera moins sauvage que la dernière fois !

Lou xox

À : Marilou33@mail.com
De : Léa_jaime@mail.com
Date : dimanche 22 mars, 11 h 11
Objet : Espoir à l'horizon

Coucou !
Pauvre Lou, j'ai eu de la peine en lisant ton courriel.
Je sais que ce ne doit pas être facile de voir ton père
ranger ses cartons dans un camion, et encore moins de
constater qu'il n'habite plus chez toi, mais rappelle-toi
ce qu'on s'est dit : on s'habitue à tout.

Contrairement à moi, tu es l'aînée de la famille, et
ce titre vient avec un lot de responsabilités, mais
aussi avec un statut vraiment cool. Tes parents ne te
prennent pas pour un bébé, et si cette expérience peut
t'aider à développer une relation plus ouverte avec eux,
alors tant mieux ! ☺

Aussi, j'ai vraiment confiance qu'une bonne portion
de boulettes suédoises saura te réconforter et te faire
retrouver le sourire.

La soirée chez Alex a été plus cool que je ne
l'appréhendais. Quand je suis arrivée, tout le monde
était déjà installé à la table de la salle à manger.

Moi (en embrassant tout le monde) : Qu'est-ce que vous
faites là, assis en rond ?

Alex : J'ai proposé qu'on joue au Monopoly !

Moi : Cool ! Je vais tous vous ruiner !

Marguerite (en me regardant) : Tu as un beau chandail, Léa.

À ma grande surprise, son compliment semblait sincère.

Moi : Merci.

J'ai croisé le regard d'Alex, qui m'a souri. Je savais qu'il lui avait aussi demandé de faire un effort. Je me suis assise entre Katherine et Olivier.

Alex : Oli, veux-tu quelque chose à boire ? De l'eau ? Du jus ? De la *root beer* ?

Olivier (en levant les yeux vers lui, en souriant) : Tu as de la *root beer* ? Wow, c'est rare les gens qui comprennent la beauté de ce classique ! Je t'en prendrais bien un verre, s'il te plaît.

Éloi (en les dévisageant) : Ouach ! Vous êtes bizarres !

C'est la soirée qui était bizarre. Notre gang dysfonctionnelle était en train de se métamorphoser en Câlinours.

On a commencé à jouer, et à mon grand étonnement, même Marguerite semblait détendue. Elle faisait des blagues, elle m'écoutait quand je parlais et elle collait Alex de façon sincère.

C'est finalement Jeanne qui a remporté la partie. Vers la fin de la soirée, j'ai aidé Alex à ranger. Quand je suis arrivée dans la cuisine avec des verres vides, je l'ai surpris en train d'embrasser Marguerite sur le front tout en caressant ses cheveux. Je ne l'avais jamais vu comme ça auparavant. J'ai senti une petite pointe au cœur, puis j'ai compris. Mon ami était amoureux. Il cherchait à intégrer Marguerite dans la gang parce qu'il voulait être avec elle. Et en tant qu'amie, je devais tout faire pour lui faciliter la tâche.

J'ai toussoté et j'ai doucement déposé les verres dans l'évier.

Moi : Je voulais juste vous souhaiter une bonne soirée. C'était vraiment cool !

Marguerite m'a souri et Alex s'est avancé vers moi.

Alex : Comment rentres-tu ?
Moi : Je vais dormir chez Jeanne.
Alex (en m'embrassant sur une joue) : OK. Bonne nuit !
Moi (en le regardant avec un drôle d'air) : Bonne nuit.

J'ai ensuite embrassé Marguerite.

Moi : C'était cool de te voir ce soir. On refait ça bientôt ?
Marguerite : Oui. J'aimerais ça.

J'ai dormi comme un bébé. Je suis rentrée à la maison il y a à peu près une heure. J'ai aussitôt aperçu Zack qui s'affairait dans la cuisine.

Zack : Léa ? Ton frère parle au téléphone et tes parents sont partis faire des courses. Sais-tu si vous avez de la farine de quinoa et des substituts d'œuf pour faire des crêpes ?

Heureusement, il y a de ces choses qui ne changent pas. J'ai éclaté de rire et j'ai déposé du lait, des œufs et de la farine tout usage sur le comptoir.

Moi : Désolée, Zack, mais si tu cuisines chez les Olivier, tu devras te contenter de ces ingrédients.

Zack a observé le tout d'un air dégoûté.

Lui : Mouais ! Je pense que je vais laisser tomber.
Félix (en apparaissant derrière nous) : Laisse-moi faire, *man* ! Tu vas voir que c'est bon même avec de la farine blanche.

Je suis montée en vitesse pour t'écrire, mais je dois filer, car les délicieuses crêpes non granos de mon frère sont prêtes. Je t'embrasse très fort et je t'envoie tout plein d'ondes positives pour que ta journée se déroule bien !

Je t'aime !
Léa xox

À : Katherinepoupoune@mail.com,
Jeanneditoui@mail.com
De : Marilou33@mail.com
Date : mardi 24 mars, 19 h 11
Objet : Fête-surprise de Léa

Salut, les filles !
J'espère que vous allez bien. Je viens de consulter la liste des invités qui ont confirmé leur présence à la fête de Léa. Je suis *full* contente, parce que tout le monde y sera, à part Éloi. Je sais qu'il est déçu, mais on ne peut quand même pas forcer ses parents à laisser tomber leur fin de semaine familiale dans un chalet !

Comme je vous l'ai expliqué sur le mur de l'événement, j'arriverai le samedi en début d'après-midi. C'est super important que Léa ne soit pas chez elle pendant qu'on prépare le tout. Bref, je me demandais si l'une de vous deux pourrait la distraire et s'assurer de nous la ramener en un seul morceau vers 18 h !

J'ai vraiment hâte à son anniversaire. Je suis certaine qu'elle ne s'y attend pas du tout et qu'elle va avoir la surprise de sa vie !

Marilou xox

À : Marilou33@mail.com
CC : Katherinepoupoune@mail.com,
De : Jeanneditoui@mail.com
Date : Vendredi 27 mars, 19 h 11
Objet : Re : Fête-surprise de Léa

Salut, Marilou !
Aucun problème ! Je ferai croire à Léa que je dois magasiner une robe pour un mariage et qu'elle doit absolument m'accompagner étant donné que je suis nulle là-dedans (ce qui est vrai). Je vais m'arranger pour prendre vraiment mon temps. Je vous enverrai un texto avant que nous arrivions pour que vous soyez prêts à la surprendre.

Parlant de ça, je crois aussi qu'elle va capoter puisqu'elle ne s'en doute pas du tout. Katherine et moi lui avons nonchalamment demandé ce qu'elle voulait faire pour sa fête, et elle nous a répondu qu'elle ne savait pas encore. Katherine lui a donc proposé d'organiser une soirée de filles chez elle, la fin de semaine du 11 avril. J'ai bien hâte de voir sa tête quand elle va réaliser qu'on a tout organisé dans son dos !

Si tu veux, Katherine peut venir te chercher au terminus avec ses parents, comme ça tu n'auras pas à prendre le métro toute seule en arrivant (si tu es comme Léa, tu risques de te perdre! Lol!)

Tiens-nous au courant!
Jeanne

À : Jeanneditoui@mail.com
CC : Katherinepoupoune@mail.com,
De : Marilou33@mail.com
Date : Dimanche 29 mars, 14 h 43
Objet : Re : Re : Fête-surprise de Léa

Salut, les filles!

Contente de voir que Léa pense que sa fête aura lieu la fin de semaine suivante!

C'est super gentil de m'offrir de venir me chercher, mais Félix s'est déjà proposé, alors ne vous en faites pas pour moi!

Marilou xox

P.-S. : Moins d'une semaine avant le jour J! Yé!

📱 03-04 12 h 01

Léa! Je sors de mon cours de théâtre, et je suis tellement heureuse! Sarah Beaupré a passé la période avec une crotte de nez très visible, sans même s'en rendre compte. Tu avais raison! Il existe une justice pour les filles comme nous!

📱 03-04 12 h 03

Ha, ha, ha! Wow! Cette crotte de nez fait ma journée!

📱 03-04 12 h 04

Tu ne m'as pas raconté comment s'est passé ton examen d'anglais.

📱 03-04 12 h 05

Pas si pire. Je m'attends au moins à avoir la note de passage.

📱 03-04 12 h 05

Cool!

📱 03-04 12 h 05

Et toi? Comment s'est déroulée la première nuit chez ton père?

📱 **03-04 12 h 06**

Pas si mal! J'ai hâte que tu voies ma chambre; elle est vraiment bien décorée, alors ça m'aide à me sentir chez moi. Et comme ça me prend trois minutes pour aller à l'école le matin, je trouve ça très pratique! ☺

📱 **03-04 12 h 07**

Tu m'enverras des photos!

📱 **03-04 12 h 07**

Promis! Qu'est-ce que tu fais en fin de semaine?

📱 **03-04 12 h 08**

Ce soir, je passe une soirée en famille, et demain, je vais magasiner avec Jeanne qui doit se trouver une robe pour un mariage. Toi?

📱 **03-04 12 h 09**

Je compte surtout m'habituer à ma nouvelle vie. Et ça commence ce soir puisque mon père a invité JP à souper.

📱 03-04 12 h 10

Tu me raconteras! Tu veux qu'on s'appelle sur Skype dimanche?

📱 03-04 12 h 11

Oui! Et ce serait le *fun* de se parler plus que trois minutes!

📱 03-04 12 h 12

J'ai moins de devoirs en fin de semaine, alors je libérerai tout mon après-midi pour toi!

📱 03-04 12 h 12

Cool! Bonne journée!

📱 03-04 12 h 13

Bonne journée, Lou!

À : Léa_jaime@mail.com
De : Éloi2011@mail.com
Date : dimanche 5 avril, 07 h 55
Objet : Raconte-moi tout !

BONNE FÊTE ! Je suis vraiment déçu d'avoir raté la surprise, mais j'espère que tu sais que j'étais là en pensées. Comme je suis coincé dans un chalet de ski et qu'il pleut à boire debout, tu m'écriras pour me raconter la soirée !

Éloi xxx

À : Éloi2011@mail.com
De : Léa_jaime@mail.com
Date : dimanche 5 avril, 08 h 35
Objet : Que d'émotions !

Salut Éloi !
Tu ne peux pas savoir comme je ne m'attendais pas à être fêtée, hier soir ! La soirée m'apparaît encore irréelle ! D'un côté, je suis déçue que tu n'aies pas pu être présent, mais d'un autre, je suis contente d'avoir quelqu'un à qui la raconter.

Comme tu le sais déjà sûrement, Jeanne avait prétexté avoir une robe à acheter pour me distraire tout l'après-midi.

Quand nous sommes rentrées à la maison, tout était silencieux. Tout à coup, les lumières se sont allumées et une quinzaine de personnes sont apparues devant moi en criant «SURPRISE!» J'ai sursauté. Je suis restée plusieurs secondes sans rien dire. Je n'arrivais pas à croire ce qui arrivait. Marilou s'est alors jetée dans mes bras et j'ai aussitôt fondu en larmes. J'étais tellement contente qu'elle soit là !

Quand j'ai repris contact avec la réalité, j'ai réalisé que Katherine, Jeanne, Annie-Claude, Éric, Alex, Marguerite, Olivier, Félix, Édith, Marie-Fleur, Zack, Marilou et mes parents étaient en train de me chanter *Joyeux Anniversaire !* J'ai ensuite englouti les salades que mes parents avaient préparées ainsi qu'une grosse part de gâteau.

Ceux-ci m'ont alors annoncé qu'ils allaient au cinéma pour nous permettre de faire la fête entre nous.

Moi : Mais je ne veux pas que vous vous sentiez obligés de partir ! Ça ne me dérange pas si vous restez.
Mon père : Est-ce que ça veut dire que tu nous trouves «cool»?
Moi : Euh !
Ma mère (en souriant) : Ça nous fait vraiment plaisir, ma chérie. Profites-en pour t'amuser avec tes amis !

Mon père m'a alors prise par les épaules.

Mon père : Je n'en reviens pas que mon bébé ait seize ans.

Ma mère (en tirant mon père vers elle) : Tu vois ? C'est pour ça qu'il faut partir. Sinon, ton père va encore se mettre à pleurer.

J'ai embrassé ma mère et j'ai serré mon père dans mes bras.

Moi (en chuchotant) : T'sais, papa... même si j'ai seize ans, je reste ton bébé.

Mon père (en souriant) : Je t'aime.

Mes parents sont partis et j'ai vite rejoint mes amis. Un peu plus tard dans la soirée, j'ai remarqué que d'autres gens de l'école et du collège de Félix s'étaient joints à nous et que nous étions maintenant une trentaine dans le salon. J'étais étonnée qu'autant de personnes se soient déplacées pour célébrer mon anniversaire.

Alex a ensuite branché son iPod et tout le monde (incluant les amis cool de Félix) s'est mis à danser. J'en ai profité pour m'asseoir avec Marilou.

Moi : Est-ce que je t'ai dit à quel point j'étais contente que tu sois là et que tu aies organisé tout ça pour moi ?

Marilou : Au moins mille fois ! Mais sache que tout le monde a participé !

Moi : Ouais ! Comme Katherine et Jeanne qui m'ont menti toute la semaine !

Marilou : Je ne parlais pas juste d'elles. Olivier a aussi passé la journée ici pour nous aider.

Moi (d'un air surpris) : Pour vrai ?

Marilou : Ouais ! Et j'avoue que je suis tombée sous son charme. Il est super gentil, Léa, et il a vraiment l'air de tenir à toi.

Olivier est justement apparu devant nous.

Olivier : Désolé de vous interrompre, les filles. Je voulais juste savoir si je pouvais offrir mon cadeau à Léa.

Moi (en souriant) : Oh ! Tu as un cadeau pour moi ?

Olivier : Ben oui ! C'est ta fête, après tout ! Je l'ai déposé dans ta chambre.

Moi (en me levant) : OK, je te suis !

Marilou m'a fait un clin d'œil. Je suis montée à l'étage avec Olivier. Il a pris un grand paquet qui reposait sur mon lit et me l'a tendu. J'ai déchiré le papier et j'ai vu qu'il s'agissait de la photo que Jeanne avait prise de nous deux lors de notre exposé sur le Mexique. Olivier l'avait fait agrandir et encadrer. Je me suis aussitôt mise à rire.

Moi (en regardant la photo) : Wow ! C'est trop cool ! Merci, Oli !

Olivier (en me souriant) : Comme ça, je suis certain que tu n'oublieras jamais notre « voyage » au Mexique.
Moi (en observant la photo de plus près) : En tout cas, on fait un beau couple là-dessus.
Olivier (en posant ses yeux sur moi) : Et dans la vie aussi ?

J'ai déposé la photo sur mon lit et je me suis avancée vers lui. Mes doutes s'étaient dissipés et j'avais enfin l'esprit clair. J'ai posé mes lèvres sur les siennes sans dire un mot. Il a aussitôt répondu doucement à mon baiser et c'était... génial ! Finie, la torpille !

Moi (en le regardant dans les yeux) : Ça répond à ta question ?
Olivier : Tu... Est-ce que ça veut dire que... toi et moi... ?
Moi (en l'embrassant à nouveau) : Oui.

Il m'a serrée dans ses bras, puis il m'a entraînée avec lui vers l'escalier.

Olivier : Cette fois-ci, je veux que tout le monde le sache !

Olivier et moi sommes descendus en riant. Je me sentais vraiment au paradis. Non seulement les gens que j'aime avaient pensé à m'organiser une fête-surprise, mais je savais enfin que j'avais envie d'être avec Olivier et que ses baisers pouvaient faire des étincelles.

J'ai passé le reste de la soirée à danser avec mes amis, à serrer mon nouvel amoureux dans mes bras et à profiter au maximum de ces instants de bonheur.

Katherine, Jeanne et Marilou sont restées à coucher dans ma chambre et nous avons parlé des meilleurs moments de la fête (incluant évidemment mon baiser avec Olivier) jusqu'à tard dans la nuit. Peu de temps après m'être endormie, j'ai ouvert un œil et j'ai réalisé que Marilou n'était plus dans son lit.

Je suis descendue pour prendre un verre d'eau et m'assurer que tout allait bien. J'ai entendu des bruits provenir de la cuisine. Je me suis avancée tout doucement pour y jeter un coup d'œil et c'est là que mon cœur s'est arrêté. Marilou était en train d'embrasser... mon frère ! ! ! ! !

J'ai regagné ma chambre sur la pointe des pieds. J'ai fait semblant de dormir lorsque Marilou s'est remise au lit environ une demi-heure plus tard.

Éloi, je capote ! Qu'est-ce que je suis censée faire ? Les filles dorment encore. Aide-moi !

Léa

À suivre...